W9-BLD-274

Loi n° 49.956 du 16 juillet 1949 sur les publications
destinées à la jeunesse : février 1984
Dépôt légal : août 2011
Imprimé en France par Hérissey/Qualibris à Évreux (Eure)
N° d'imprimeur : 117173

ISBN 978-2-211-01652-0

Pierre Gripari

Inspecteur Toutou

Pièce en 1 acte pour enfants

et

Crac ! dans le sac !

Pièce pour marionnettes

illustré par Philippe Dumas

Neuf

l'école des loisirs

11, rue de Sèvres, Paris 6e

Inspecteur Toutou

Pièce en 1 acte pour enfants

Personnages

Le Génie du Miroir

Le Musicien

L'Inspecteur Toutou

Le Loup

La Reine de Blanche-Neige

Le Prince Charmant

La Bûcheronne

Le Diable

Le Capitaine des voleurs

La Fée Rutabaga

La réalisation de cette pièce nécessite un musicien, deux comédiens et deux comédiennes.
Le musicien jouera le rôle du Musicien.
Un comédien jouera le rôle de l'Inspecteur Toutou.
Une comédienne jouera le rôle du Génie du Miroir.
Le second comédien jouera tous les autres rôles masculins, soit : le Loup, le Prince Charmant, le Diable et le Capitaine des voleurs.
La seconde comédienne jouera tous les autres rôles féminins, soit : la Reine de Blanche-Neige, la Bûcheronne et la Fée Rutabaga.

La scène se passe dans le bureau de l'Inspecteur Toutou. Un bureau et son siège, plus une chaise pour les visiteurs. Au mur du fond est fixé le Miroir magique.

Scène I
Le Génie du Miroir

Le Génie (d'abord invisible): Bonjour, mes petits enfants! Bonjour! *(un temps)* Eh bien, bonjour! *(un temps)* Est-ce que vous me voyez? *(un temps)* Non, bien sûr, vous ne me voyez pas. Et savez-vous pourquoi vous ne me voyez pas? C'est parce que je suis invisible! *(un temps; la tête du Génie apparaît dans le miroir).* Et maintenant, me voyez-vous? Mais oui, par ici, coucou! Et savez-vous pourquoi vous me voyez, maintenant? C'est parce que je suis devenu visible!... A présent, je vais vous poser une question difficile: Savez-vous qui je suis? Non, vous ne le savez pas? Eh bien, je vais vous le dire... Voyons, nous sommes bien seuls, personne à droite, personne à gauche? Ouvrez bien les oreilles... Je suis le Génie du Miroir magique! Eh oui! Car ce miroir, fixé au mur, où vous voyez ma tête, c'est le miroir magique de la Reine de Blanche-Neige! Vous connaissez, bien sûr, l'histoire de Blanche-Neige? Eh bien, moi, pas plus tard que la semaine dernière, j'appartenais encore à la reine, vous savez, cette reine si belle, et tellement orgueilleuse... Elle m'aimait bien, au commencement, elle se mettait en face de moi, me parlait gentiment, me faisait des sourires... Entre nous, je crois qu'elle me trouvait beau... Et chaque matin, sitôt levée, elle me demandait: « Miroir, petit miroir au mur, quelle est la plus belle de tout le pays? » Alors, moi, je lui répondais. Je lui répondais la vérité, bien sûr, je ne suis pas menteur... Elle était contente... Et puis voilà qu'un beau matin, elle s'est levée, comme d'habitude, elle m'a posé la même question, comme d'habitude, je lui ai dit la vérité, comme d'habitude, mais ce jour-là, je ne sais pas pourquoi, elle est entrée dans une colère! mais dans une de ces colères! J'ai bien cru qu'elle allait me casser! Elle m'a traité de traître, de menteur, de je ne sais quoi encore... Et, pour finir, elle a ordonné qu'on me vende. C'est la police qui m'a acheté, et c'est pourquoi, maintenant, je me trouve dans le bureau de l'Inspecteur Toutou. Ce qu'il veut faire de moi, j'avoue que je n'en sais rien. De toute façon, je ferai comme j'ai toujours fait: je répondrai si l'on m'interroge, et je dirai la vérité... Mais silence, maintenant, silence, taisons-nous! La pièce va commencer! *(la tête disparaît)*

Scène II
Le Génie, Le Musicien, Toutou

(Entre le Musicien, qui joue un petit air sur son instrument pour servir d'ouverture. Le téléphone sonne. Entre l'Inspecteur Toutou: demi-masque à tête de chien de chasse, les oreilles pendantes. Il décroche l'appareil et répond)

Toutou: Allô, oui?
Le Musicien (il se pince le nez pour imiter le nasillement du téléphone): Allô! C'est l'Inspecteur Toutou?
Toutou: Lui-même.
Le Musicien: Ici la bonne fée Rutabaga.
Toutou: Non, merci. Je n'aime pas les légumes.
Le Musicien: Je ne vous demande pas si vous aimez les légumes, je vous dis que je suis la bonne fée Rutabaga.
Toutou: Eh bien? C'est un légume, le rutabaga, non?
Le Musicien: Laissons cela. Je suis une fée, une bonne fée, vous savez ce que ça veut dire?
Toutou: Euh... oui, je crois, peut-être... Que voulez-vous?
Le Musicien: Eh bien voilà, Monsieur l'Inspecteur: j'ai perdu ma baguette, quelque part, dans la forêt.
Toutou: Il y a longtemps?
Le Musicien: Hier soir, je pense.
Toutou: Alors, ne cherchez plus, c'est inutile.
Le Musicien: Pourquoi? Vous l'avez trouvée?
Toutou: Non, mais depuis hier, vous pouvez être sûre que les petits oiseaux l'ont mangée!

Le Musicien: Les petits oiseaux, manger ma baguette?

Toutou: Eh oui! Qu'est-ce que vous croyez? Si j'étais vous, j'irais tout de suite chez le boulanger pour en acheter une autre!

Le Musicien: Mais vous n'y êtes pas, Monsieur Toutou! Je vous parle d'une baguette magique!

Toutou: Et puis après? Qu'est-ce que ça change? Magique ou pas magique, une baguette, c'est toujours une baguette!

Le Musicien: Mais non! Je vous répète...

Toutou: Ecoutez, madame, cela suffit! J'ai autre chose à faire et je n'ai pas de temps à perdre! Ou bien vous allez chez le boulanger, ou bien vous mangerez vos rutabagas sans pain! Au revoir! *(il raccroche)* Gling!

Le Musicien: Mais non, ce n'est pas ça! Vous n'avez rien compris! *(sa voix se perd)*

Toutou: Maintenant, parlons de choses sérieuses. *(il s'approche du miroir)* – Miroir, petit miroir au mur, me vois-tu? M'entends-tu?

Le Génie (apparaissant dans le miroir): Oui, mon maître!

Toutou: Ça marche! Miroir, petit miroir au mur, peux-tu me dire qui je suis?

Le Génie: Tu es l'Inspecteur Toutou.

Toutou: Très bien. Peux-tu me dire quel est mon métier?

Le Génie: Tu es inspecteur de police.

Toutou: Parfait. Est-ce que je suis un beau toutou?

Le Génie: Tu es un très beau toutou!

Toutou: Bravo! Est-ce que je suis un bon toutou?

Le Génie: Tu es un très bon toutou!

Toutou: Formidable! Est-ce que je suis un toutou intelligent?

Le Génie: Non, tu n'es pas un toutou intelligent.

Toutou: Ah zut alors! Déjà en panne? *(il frappe le miroir de l'index)*. Miroir, petit miroir au mur, me vois-tu? m'entends-tu?

Le Génie: Oui, mon maître.

Toutou: Est-ce que je suis un toutou intelligent?
Le Génie: Non, tu n'es pas un toutou intelligent!
Toutou: Tu en es sûr?
Le Génie: Tout à fait sûr.
Toutou: Après tout, c'est peut-être vrai... Je suis un toutou bête?
Le Génie: Oui, tu es un toutou bête.
Toutou: Beau, bon, mais bête, alors?
Le Génie: Oui. Très beau et très bon, mais très bête.
Toutou: Pas de chance! Mais après tout ce n'est pas cela qui importe... Miroir, petit miroir au mur...
Le Génie: Oui, mon maître.
Toutou: Si je te pose une question, que feras-tu?
Le Génie: Je répondrai.
Toutou: Toujours?
Le Génie: Toujours.
Toutou: La vérité?
Le Génie: Toujours la vérité.
Toutou: A toutes les questions?
Le Génie: A toutes les questions.
Toutou: C'est l'essentiel. Merci. *(le Génie disparaît)* Comme ça, je pourrai faire toutes mes enquêtes, sans même bouger d'ici. Ce miroir me sera bien utile... Voyons maintenant: y a-t-il quelqu'un dans la salle d'attente?... Au premier de ces messieurs!

Scène III
Le Génie, Le Musicien, Toutou, Le Loup

(Musique. Entre le Loup: demi-masque de loup aux oreilles dressées. Il tient à la main une côte d'agneau)

Le Loup: Monsieur… Je suis bien dans le bureau de l'Inspecteur Toutou?
Toutou: C'est moi-même. Entrez. Vous êtes Monsieur…?
Le Loup: Le Loup.
Toutou (écrivant): «le Loup»… Votre prénom?
Le Loup: Pas de prénom.
Toutou: Le Loup, c'est tout?
Le Loup: C'est tout. *(reniflant)* Mais dites-moi donc…
Toutou: Oui?
Le Loup: Ça sent bien bon, chez vous…
Toutou: Peut-être.
Le Loup: Il y a des petits enfants, par ici, on dirait…
Toutou: Des petits enfants? Non.
Le Loup: Vous en êtes sûr?
Toutou: Absolument!
Le Loup: Pas même sous le bureau? Ni dans les tiroirs?
Toutou: Est-ce que j'ai une tête à mettre des petits enfants dans les tiroirs?
Le Loup (désignant le public): Et là?
Toutou: Là? Eh bien, c'est le mur!
Le Loup: Le mur? Vraiment? C'est tout?
Toutou: Vous le voyez bien!

Le Loup (il tâte l'air, face au public): Hum!... Oui, c'est vrai, c'est le mur... Ça sent bien bon, pourtant!

Toutou: Ecoutez, cher monsieur: vous n'êtes pas venu ici, j'espère, pour me parler de l'odeur...

Le Loup: Non, bien sûr.

Toutou: Alors posez votre revolver, asseyez-vous et parlez!

Le Loup (s'asseyant): Merci. Mais ce n'est pas un revolver, vous savez...

Toutou: Qu'est-ce que c'est donc?

Le Loup: Une côtelette d'agneau.

Toutou: Vous l'avez achetée?

Le Loup: Euh... non!

Toutou: Vous ne l'avez pas volée, j'espère?

Le Loup: Oh non! Je l'ai rencontrée sur le bord d'un ruisseau. Elle buvait à quelques pas de moi...

Toutou: Elle buvait, comme ça, toute seule?

Le Loup: Non, pas toute seule, bien sûr... A ce moment-là, le reste de l'agneau était encore autour... Seulement, quand je l'ai vu boire, moi, ça m'a donné faim...

Toutou: Je vois, je vois... C'est bien humain! Ou plutôt non, c'est bien canin... Si c'est comme ça, gardez-la donc, votre côtelette...

Le Loup: Merci. *(il la grignote)*

Toutou: ... et dites-moi ce qui vous amène.

Le Loup: Eh bien voilà: je cherche une petite fille.

Toutou: Votre fille, peut-être?

Le Loup: Non, pas ma fille à moi... Une petite fille du village, tout près de la forêt où j'habite...

Toutou: Donc, vous la connaissez.

Le Loup: Je l'ai vue deux ou trois fois... de loin...

Toutou: Alors vous ne la connaissez pas.

Le Loup: Je la connais de vue. Je ne lui ai jamais parlé.

Toutou: Et pourquoi donc la cherchez-vous?

Le Loup: Je voudrais jouer avec elle, me promener avec elle, être gentil pour elle... Si vous saviez comme je l'aime, cette petite fille! *(il ronge nerveusement sa côtelette d'agneau)*

Toutou: Là, là, ne vous énervez pas... Somme toute, vos intentions sont bonnes...

Le Loup: Oh oui, monsieur l'Inspecteur!

Toutou: Dans ce cas, le plus simple, ce serait d'aller voir ses parents...

Le Loup: Impossible, monsieur l'Inspecteur.

Toutou: Pourquoi donc?

Le Loup: Ses parents ne m'aiment pas, ils ont des préjugés... Et les gens du village non plus. Je risquerais de me faire tuer... Ils sont un peu racistes, si vous voyez ce que je veux dire...

Toutou (indigné) : Comment ! Mais c'est inadmissible ! C'est une honte ! Il faut absolument faire quelque chose ! Pouvez-vous me donner le signalement de cette gosse ?
Le Loup : Oh certainement ! Tout le monde la connaît ! Elle porte sur la tête un petit chaperon rouge.

Toutou : A la bonne heure ! Ça, au moins, c'est précis ! Miroir, petit miroir au mur...
Le Génie (apparaissant) : Oui, mon maître ?
Toutou : Peux-tu me dire où se trouve le Petit Chaperon rouge ?
Le Génie : Oui, je peux te le dire. *(un temps)*

Toutou: Eh bien, qu'est-ce que tu attends ?
Le Génie: J'attends que tu me l'ordonnes.
Toutou: Eh bien, dis-le !
Le Génie: En ce moment même, le Petit Chaperon rouge traverse la forêt. Elle va porter à sa grand-mère une galette et un petit pot de beurre.
Le Loup (bondissant de sa chaise): Ah ! Ça ne m'étonne pas d'elle ! Quelle bonne petite fille ! Comme je l'aime ! Merci ! *(il se précipite vers le public)*
Toutou: Eh bien, où allez-vous ? Pas par là, c'est le mur !
Le Loup: Zut ! c'est vrai, c'est le mur... Hmm ! ce que ça sent bon ! Excusez-moi ! Au revoir ! *(il sort en courant)*
Toutou (ému, pendant que le Génie disparaît): Brave bête ! Et comme il l'aime, cette petite fille ! Allons, voilà qui ne commence pas mal ! *(il va à la porte)* – La personne suivante ! *(le téléphone sonne)*

Scène IV
Le Génie, Le Musicien, Toutou, La Reine

Toutou (au téléphone, pendant que la Reine entre): Allô?

Le Musicien (il se pince le nez): Allô! C'est l'Inspecteur Toutou?

Toutou: Lui-même!

Le Musicien: Ici la Fée Rutabaga.

Toutou: Encore vous? Eh bien, cette baguette?

Le Musicien: Je ne l'ai toujours pas retrouvée. Je voulais vous dire...

Toutou: Mais qu'est-ce que vous voulez que j'y fasse? Je vous l'ai déjà dit, achetez-en une autre!

Le Musicien: Mais non, justement! C'est à vous...

Toutou: A moi? Quoi? A moi? Je ne suis pas boulanger, moi, madame! Mangez donc une bonne fois vos légumes et laissez-moi tranquille! *(il raccroche)* Gling! *(à la Reine)* – Madame, donnez-vous la peine! Asseyez-vous, je vous prie... *(musique: la Reine s'assied)*

La Reine (elle est coiffée d'une toque rouge et tient une pomme à la main): C'est bien à l'Inspecteur Toutou que j'ai l'honneur de parler?

Toutou (intimidé): Oui, oui, c'est bien à moi que vous avez l'honneur... Et moi-même, à qui ai-je l'honneur?...

La Reine: Je suis la Reine.

Toutou: La reine? Oho!

La Reine: Pas de cérémonie, je vous en prie.

Toutou (il s'assied à son bureau): Je suis confus, vraiment... Et qu'est-ce qui me vaut le plaisir?...

La Reine : Je cherche une petite fille.

Toutou : Tiens ! Vous aussi ?

La Reine : Pourquoi donc, moi aussi ? Quelqu'un d'autre la cherche ?

Toutou : Une petite villageoise avec un chaperon rouge…

La Reine : Ah non ! Le chaperon rouge, chez nous, c'est moi seule qui le porte. Il me va bien, n'est-ce pas ?

Toutou : Très bien. Vraiment très bien.

La Reine : Il m'embellit, n'est-il pas vrai ?

Toutou : Beaucoup ! Enfin je veux dire… Vous n'aviez pas besoin de lui pour être belle…

La Reine (un peu sèche) : Merci !

Toutou : Donc, cette petite fille ?…

La Reine : C'est la jeune princesse.

Toutou : Votre fille, donc ?

La Reine : Non, ma belle-fille. Sa mère était la première femme du roi mon mari.

Toutou : Ah ! je vois ! La pauvre petite a donc perdu sa mère, et vous êtes sa marâtre…

La Reine : Si vous voulez. Je n'aime pas beaucoup ce mot-là…

Toutou : Disons sa belle-mère. Et pourquoi donc la cherchez-vous ? Elle a fait une fugue ?

La Reine : Tout juste. Elle s'est enfuie de chez nous.

Toutou : Pouvez-vous me raconter tout cela en détail ?

La Reine : Certainement.

Toutou (il se prépare à prendre des notes) : Je vous écoute. Posez donc votre pomme, elle vous gêne !

La Reine : Non merci. Je préfère la garder.

Toutou : A votre aise. Comment s'appelle-t-elle, cette petite fille ?

La Reine : Blanche-Neige.

Toutou : C'est un bien joli nom !

La Reine (sèchement) : Euh… oui, assez joli.

Toutou : Donc, quand vous avez épousé le roi, il avait déjà près de lui cette enfant, dont la mère était morte. Ensuite ?

La Reine : Eh bien, pendant les premiers mois, nos relations étaient plutôt bonnes. Et puis voilà qu'au bout d'un an ou deux, la petite s'est mise à grandir, et tout en grandissant, elle est devenue jalouse !

Toutou : Jalouse de qui ?

La Reine : De moi, bien sûr !

Toutou (navré) : Oh ! Ça, ce n'est pas beau !

La Reine : Que voulez-vous, il faut la comprendre, cette enfant... Son père est très amoureux de moi, j'ai pris la place de sa mère, elle regrette le passé... De plus, comme vous venez de me le dire, je suis assez belle...

Toutou : Vous êtes très belle !

La Reine : Merci. Et elle, mon Dieu, sans être vraiment laide, elle est, comment dirai-je ? ordinaire, commune... Elle ne peut pas se comparer à moi... D'où un certain dépit de sa part, une aigreur...

Toutou (secouant la tête) : Ah non, ce n'est pas beau, ça, ce n'est vraiment pas beau !

La Reine : Bref, la semaine dernière, comme je la trouvais un peu pâlotte, je l'ai envoyée dans la forêt, avec un de mes chasseurs, pour lui faire prendre l'air... et voilà qu'elle s'est enfuie !

Toutou : Et vous voulez la reprendre, bien sûr...

La Reine : La reprendre... non, pas forcément ! Si je sais qu'elle est heureuse ailleurs, je la laisserai refaire sa vie comme elle l'entend... Je voudrais simplement la revoir une fois, pour lui faire comprendre que je ne suis pas son ennemie, et lui offrir cette pomme en signe de réconciliation... Je serais vraiment fâchée que nous nous quittions comme ça, sur un malentendu...

Toutou : Voilà, madame la Reine, des sentiments qui vous honorent... Vous êtes aussi bonne que belle, et délicate...

La Reine : Merci.

Toutou : Et cette pomme, par ailleurs, est fort appétissante...

La Reine : N'y touchez pas, surtout !

Toutou : Bien sûr, elle est pour la petite... Eh bien, puisqu'il en est ainsi, je vais tâcher de vous renseigner. Miroir, petit miroir au mur...

Le Génie (apparaissant) : Oui, mon maître.

La Reine (se levant): Quoi? Vous avez le Miroir magique?
Toutou: Oui. Vous le connaissez?
La Reine: Je l'avais chez moi la semaine dernière, et je l'ai vendu!
Toutou: Pourquoi?

La Reine: Parce qu'il n'est plus bon à rien!
Toutou: Plus bon à rien, ce miroir?
La Reine: A rien! Vous ne savez pas ce qu'il a osé me dire?
Toutou: Non. Quoi?
La Reine: Il m'a dit que j'étais laide!
Toutou: Non, sans blague?

La Reine: Ou, plus exactement, car il n'a pas osé... il m'a dit que je n'étais pas la plus belle du pays!

Toutou: Eh bien, ça, par exemple... ça me fait plaisir!

La Reine: Hein? Pardon?

Toutou: Figurez-vous qu'à moi, il m'a dit que j'étais bête!

La Reine: Il vous a dit?... Non, pas possible! *(elle éclate de rire)*

Toutou: Ça vous amuse?

La Reine: Vous voyez bien, il dit n'importe quoi! Enfin, puisqu'il est là, on peut l'interroger quand même... Il n'a pas de goût, mais il peut être encore bien renseigné...

Toutou: Espérons-le. Miroir, petit miroir au mur...

Le Génie : Oui, mon maître ?

Toutou : Peux-tu me dire où est Blanche-Neige ?

Le Génie : Oui, mon maître, je le peux.

Toutou : Eh bien, dis-le donc !

Le Génie : Elle est dans une petite maison, au plus profond de la forêt.

Toutou : Quelle maison, au juste ?

Le Génie : La maison des sept nains.

La Reine : Qu'est-ce qu'elle peut bien fabriquer là ?

Toutou : Qu'est-ce qu'elle y fait ?

Le Génie : Elle y fait la vaisselle, la lessive, le repassage, elle balaie le plancher, reprise les chaussettes, prépare les repas, fait les lits et le ménage.

La Reine : La pauvre enfant ! Mais c'est affreux ! Comme elle doit regretter !... Au revoir, monsieur l'Inspecteur, je vais la délivrer ! Merci ! *(elle sort avec sa pomme)*

Toutou (seul) : La brave femme ! J'en suis tout ému ! Comme elle est bonne, compréhensive et juste ! Et pas fière avec ça, toute reine qu'elle est ! Cordiale, simple, modeste... J'espère qu'elle va la retrouver, sa petite Blanche-Neige, et que l'enfant comprendra enfin où sont ses vrais amis... Mais ce n'est pas tout ça, j'ai encore du travail... *(à la porte)* – A qui le tour ?

Scène V

Le Génie, Le Musicien, Toutou, Le Prince

(Musique. Entre le Prince Charmant. Il tient à la main une baguette magique de fée, surmontée d'une étoile d'or)

Le Prince: Monsieur... Vous êtes bien l'inspecteur Toutou?

Toutou: Mais oui, mais oui, entrez! A qui ai-je l'honneur?

Le Prince: Je suis le Prince Charmant.

Toutou: Très honoré... Asseyez-vous. Posez votre canne.

Le Prince (il pose la baguette sur le bureau et s'assied): Merci. Mais ce n'est pas une canne, vous savez...

Toutou: Ce n'est pas une canne, ça?

Le Prince: Non. C'est un bout de bois que j'ai ramassé dans la forêt.

Toutou: Pardonnez-moi, c'est une canne! Et même une très belle canne, avec un pommeau d'or en forme d'étoile...

Le Prince: Tiens! mais c'est pourtant vrai! On dirait de l'or! Et c'est en forme d'étoile... Bah! ce n'est qu'un hasard!

Toutou: Avouez que, des bouts de bois comme ça, on n'en rencontre pas tous les jours...

Le Prince: Peut-être... Il vous plaît?

Toutou: Ah! oui!

Le Prince: Eh bien je vous le donne!

Toutou: Vous me le donnez?

Le Prince: Mais oui! Moi, je n'en ai pas besoin! Je l'ai ramassé comme ça, machinalement, pour jouer avec...

Toutou: Voyons, prince, mais c'est trop! Je ne peux pas accepter!

Le Prince: Et pourquoi pas, puisque je vous dis que je vous le donne? Gardez-le et n'en parlons plus!

Toutou: Merci mille fois! Je suis confus...

Le Prince: Pas de quoi. Prenez-le.

Toutou (il prend la baguette et ne cessera de jouer avec): Merci encore... Pouvez-vous me dire maintenant quel est l'objet de votre visite?

Le Prince: Ah oui!... Je cherche une jeune fille.

Toutou: Une jeune fille de votre famille?

Le Prince: Non. Du moins pas encore.

Toutou: Pas encore? Et pourquoi pas encore?

Le Prince: Parce que j'espère l'épouser quand je l'aurai trouvée.

Toutou: Ah! je comprends! C'est votre fiancée!

Le Prince: Non. Pas encore.

Toutou: Mais enfin, tout de même, vous la connaissez?

Le Prince: Pas encore.

Toutou: Vous l'avez vue, au moins, ne serait-ce qu'une fois?

Le Prince: Pas encore.

Toutou: Pas encore non plus?

Le Prince: Pas encore non plus!

Toutou: Mais, en ce cas... pourquoi la cherchez-vous?

Le Prince: Parce qu'elle m'est promise.

Toutou: Promise par qui?

Le Prince: Par les fées.

Toutou: Ah! Si les fées s'en mêlent, alors tout est possible... Pouvez-vous me la décrire, cette jeune fille?

Le Prince: Hélas non! Je ne l'ai jamais vue!

Toutou: Zut! c'est vrai! Vous pouvez me dire son âge, au moins? A quelques années près...

Le Prince: Entre cent dix et cent vingt ans...

Toutou: Plus de cent ans! Mais c'est une vieille!

Le Prince: Une vieille? Oui, après tout, peut-être... Je n'y avais jamais pensé.

Toutou: Et que fait-elle dans l'existence?

Le Prince: Elle dort.
Toutou: Oui, mais dans la journée?
Le Prince: Elle dort aussi.
Toutou: Mais quand elle ne dort pas?
Le Prince: Elle dort toujours. C'est moi qui dois la réveiller, d'un baiser sur les lèvres. Après ça, je l'épouserai.
Toutou: Je n'y comprends rien, à votre histoire.
Le Prince: Moi non plus. Pas grand-chose... Mais que voulez-vous? Ce sont les fées qui en ont décidé ainsi.
Toutou: Evidemment, si ce sont les fées... Vous n'avez rien de plus à me dire?
Le Prince: Non, je crois que c'est tout.
Toutou: Dans ce cas, si vous le voulez bien, nous allons consulter le Miroir magique!
Le Prince: Faites.
Toutou: Miroir, petit miroir au mur...
Le Génie (apparaissant): Oui, mon maître?
Toutou: Peux-tu me dire où se trouve une vieille de cent ans ou plus, qui est en train de dormir en attendant qu'on la réveille?
Le Génie: Oui, mon maître, je peux le dire.
Toutou: Alors, je t'écoute!
Le Génie: Je vois une vieille qui dort, dans une petite maison, au cœur de la forêt...
Le Prince: Dans une petite maison? Tiens! comme c'est curieux! Moi, je l'aurais vue dans un château...
Toutou: Chut! n'interrompez pas! Miroir, petit miroir au mur, es-tu sûr qu'il s'agit d'une petite maison?
Le Génie: Tout à fait sûr!
Toutou (au Prince): Vous pouvez le croire, il n'est pas menteur... *(au miroir)* Et quel âge a-t-elle, cette vieille?
Le Génie: Elle aura cent deux ans le mois prochain.
Le Prince (soulagé): Cent deux ans! Seulement? Chic alors! Elle est plus jeune que je ne pensais!
Toutou: Et que doit faire le prince pour trouver cette vieille?

Le Génie: Qu'il s'en retourne dans la forêt.

Toutou: C'est tout? Je ne peux pas l'aider?

Le Génie: Oh, si!

Toutou: Comment?

Le Génie: Souhaite qu'il la trouve très vite, et il la trouvera!

Toutou: Comment cela? Je ne suis pas magicien!

Le Génie: En ce moment, si, tu l'es! *(il disparaît)*

Toutou: Je comprends de moins en moins. Mais puisque c'est comme ça... *(au Prince, toujours la baguette à la main)* Mon prince, je vous souhaite de trouver tout de suite la maison de cette vieille!

Le Prince: J'y cours! Merci, monsieur Toutou! *(il sort)*

Scène VI
Le Génie, Le Musicien, Toutou

Toutou: Tout cela est bizarre, bien bizarre... Mais enfin, pourquoi pas? *(à la porte)* – Au suivant! *(un temps)* Eh bien quoi, au suivant! Le client suivant! *(coup d'œil en coulisse)* – Tiens! Plus personne!... Eh bien bravo! J'avais besoin de réfléchir, justement! *(le téléphone sonne)* Zut! *(il décroche)*

Le Musicien (il se pince le nez): Allô! L'Inspecteur Toutou?

Toutou: Oui, c'est moi.

Le Musicien: Je peux vous demander un service?

Toutou: Certainement. Je suis ici pour ça.

Le Musicien: Ce serait de ne pas raccrocher avant que j'aie fini de dire ce que j'ai à vous dire.

Toutou: Voyons, madame, pour qui me prenez-vous? Est-ce que j'ai l'habitude de raccrocher au nez de mes correspondants?

Le Musicien: A mon nez, malheureusement, oui! Vous me laisserez parler, cette fois-ci?

Toutou: Je vous le promets!

Le Musicien: A la bonne heure! Je suis la Fée Rutabaga...

Toutou: Encore!

Le Musicien: Vous voyez, déjà, vous m'interrompez!

Toutou: Bon, eh bien, continuez...

Le Musicien: Je suis la Fée Rutabaga et je cherche ma baguette...

Toutou: Mais je vous ai déjà dit...

Le Musicien: Allez-vous me laisser finir, oui ou crotte?

Toutou: C'est bon, c'est bon, finissez...

Le Musicien: Ma baguette n'est pas une baguette de pain, comme vous vous obstinez à le croire: c'est une baguette magique, une baguette en bois, comme un petit bâton avec une étoile d'or au bout. Je l'ai perdue dans la forêt...

Toutou (toujours la baguette à la main): Ah! bon! Je vois, je vois... Mais qu'est-ce que vous voulez que j'y fasse?

Le Musicien: Je ne vous demande pas de la chercher vous-même, bien sûr, mais si on vous l'apporte, ou si vous en avez des nouvelles, gardez-la, prenez note et je vous rappellerai. Entendu?

Toutou: Entendu.

Le Musicien: Eh bien, ça n'a pas été sans peine! Merci beaucoup, Monsieur Toutou, à bientôt! Gling!

Toutou (il raccroche lentement): En voilà encore une histoire!... Mais, au fait, je pourrais demander... Miroir, petit miroir au mur!

Le Génie (apparaissant): Oui, mon maître?

Toutou: Où se trouve la baguette de la Fée Rutabaga?

Le Génie: Tu la tiens à la main.

Toutou: Je la... Non, ce n'est pas possible?

Le Génie: Eh! si!

Toutou: Bon Dieu, c'est pourtant vrai! Comme un petit bâton avec une étoile d'or au bout... C'est elle?

Le Génie: Eh! oui!

Toutou: Et pendant tout le temps que je répondais au téléphone...?

Le Génie: Tu jouais avec elle! Eh! oui!

Toutou: Si la fée savait ça?...

Le Génie: Elle gueulerait comme un âne!

Toutou: Eh bien je ne le lui dirai pas! Quand elle rappellera, je lui dirai seulement que sa baguette est retrouvée, sans préciser depuis combien de temps... Mais au fait, j'y pense: Petit miroir au mur...

Le Génie: Mon maître?

Toutou: Quand tu m'as dit, tout à l'heure, que j'étais magicien, c'était parce que j'avais cette baguette à la main?

Le Génie: Tout juste!

Toutou: Alors, le Prince Charmant? Il l'a trouvée, la vieille?

Le Génie: Eh! oui!

Toutou: Il est heureux, alors?

Le Génie: Oh! non!

Toutou: Pourquoi? Puisque les fées la lui avaient promise?

Le Génie: Ce n'était pas celle-là qui lui était promise!

Toutou: Je ne comprends pas. Explique.

Le Génie: Eh bien voilà, mon maître: le prince cherchait une fille de cent dix-huit ans...

Toutou: A quelques années près, oui. Et alors?

Le Génie: Seulement, à moi, tu ne m'as pas demandé ça. Tu m'as demandé une vieille de plus de cent ans.

Toutou: Eh bien? Ce n'est pas la même chose?

Le Génie: Ah non! La jeune fille de cent dix-huit ans, elle attendait le prince, et elle l'attend toujours, dans un palais de rêve... Mais le prince, pendant ce temps, il en a réveillé une autre... Une vieille de cent deux ans!

Toutou: Tu pourrais me la montrer?

Le Génie: Tout de suite! Voilà! *(une tête de vieille, coiffée d'un bonnet, apparaît dans le miroir)*

Toutou (horrifié): Non, c'est pas vrai! Cette vieille horreur? mais qui est-ce donc?

Le Génie (réapparaissant): C'est la mère-grand du Petit Chaperon rouge!

Toutou: Tu ne veux pas dire que le Prince Charmant vient d'épouser la grand-mère du Petit Chaperon rouge?

Le Génie: Si, si! Exactement!

Toutou: Mais alors, moi... je suis un imbécile?

Le Génie: Oui.

Toutou: Que faire, maintenant? Que faire?

Le Génie: Il n'y a rien à faire. La Belle au bois dormant continuera de dormir et le prince, lui, restera marié avec sa vieille.

Toutou: C'est affreux, c'est épouvantable... Et c'est *moi* qui ai fait ça! Miroir, petit miroir au mur...
Le Génie: Je t'écoute.
Toutou: Promets-moi de ne le dire à personne!
Le Génie: Impossible, mon maître! Chaque fois qu'on m'interroge, il me faut dire la vérité!
Toutou: C'est bon. Je m'arrangerai pour qu'on ne t'interroge pas! Mais ce n'est pas tout encore: Miroir, petit miroir au mur...
Le Génie: Oui?
Toutou: J'espère au moins qu'avec le Loup et la Reine de Blanche-Neige, je ne me suis pas trompé?
Le Génie: Cela dépend de ce que tu voulais faire... Si tu voulais que le Loup mange le Petit Chaperon rouge...
Toutou: Hein? Qu'est-ce que tu dis?
Le Génie: Et que la méchante Reine empoisonne Blanche-Neige...
Toutou: Mais non, voyons: le Loup m'a dit simplement...
Le Génie: Je sais. Mais il a menti.
Toutou: Et la Reine?
Le Génie: La Reine, si elle cherche Blanche-Neige, c'est pour lui faire manger sa pomme, qui est empoisonnée.
Toutou: Tu ne pouvais pas me le dire?
Le Génie: Tu ne me l'as pas demandé. Moi, je réponds, j'obéis, c'est tout ce que je sais faire.
Toutou: Bon Dieu, mais comment faire pour sauver ces deux petites filles?
Le Génie: C'est encore possible. Sers-toi de la baguette magique.
Toutou: Tiens! Ça, c'est une idée! *(il lève la baguette)* Je souhaite que le Loup ne trouve jamais le Petit Chaperon rouge, et que la méchante Reine ne retrouve jamais Blanche-Neige! Tu crois que ça suffit?
Le Génie: Ça suffit.
Toutou: Merci, petit miroir au mur. Peux-tu me rendre un service, maintenant?

Le Génie: Je ne sais pas. Demande.

Toutou: Ce serait de me prévenir toutes les fois qu'un de mes clients dit un mensonge.

Le Génie: Te prévenir comment?

Toutou: Je ne sais pas, moi... En faisant «ding! ding!» par exemple...

Le Génie: Comme ça: «ding! ding!»?

Toutou: Exactement. Tu peux?

Le Génie: Je peux. C'est entendu.

Toutou: Merci, petit miroir au mur! *(le Génie disparaît)* – Voyons maintenant... *(à la porte)* Tiens! Justement, j'ai une cliente! – Entrez, madame! Entrez!

Scène VII

Le Génie, Le Musicien, Toutou,
La Bûcheronne, puis Le Diable

(Musique. Entre la Bûcheronne. Elle s'arrête à la porte)

La Bûcheronne (timidement): Pardon excuse, monsieur... Je cherche l'Inspecteur Toutou...

Toutou: C'est moi. Entrez. Asseyez-vous.

La Bûcheronne: Merci, monsieur. *(elle s'assied)*

Toutou: Qu'est-ce que je peux faire pour vous?

La Bûcheronne: Eh bien voilà, monsieur Toutou. C'est mon homme, le bûcheron, qui m'envoie... rapport à nos enfants.

Toutou (écrivant): Comment s'appelle-t-il, votre homme?

La Bûcheronne: Il s'appelle pas.

Toutou: Comment? Il n'a pas de nom?

La Bûcheronne: Non.

Toutou: Et vous?

La Bûcheronne: Moi non plus.

Toutou: Enfin, comment vous appelle-t-on?

La Bûcheronne: Ben, lui c'est le bûcheron, et puis moi, la bûcheronne...

Toutou: C'est tout?

La Bûcheronne: Ben oui, c'est tout.

Toutou (écrivant): Soit: «le bûcheron et la bûcheronne». Alors, que voulez-vous?

La Bûcheronne: Nous cherchons nos enfants.

Toutou: Vous les avez perdus?

La Bûcheronne: Oui, monsieur l'Inspecteur.

Toutou: Combien sont-ils?

La Bûcheronne: Sept.

Toutou: Quel âge?

La Bûcheronne: Ben, ça dépend... L'aîné va sur ses quatorze ans. Quant au plus jeune, il est encore petiot... pas plus grand que le pouce...

Toutou: Diable! C'est vraiment petit!

La Bûcheronne: Ben oui, c'est de naissance... C'est ce qui fait qu'on l'appelle le Petit Poucet.

Toutou (finissant d'écrire): «Le Petit Poucet...» Voilà au moins qui est précis! Et comment ont-ils disparu, ces enfants? Ils ont fait une fugue?

La Bûcheronne: Quoi que c'est que ça, une fugue?

Toutou: Je veux dire: ils se sont enfuis de la maison?

La Bûcheronne: Oui, monsieur l'Inspecteur.

Le Génie (apparaissant): Ding! ding! *(il disparaît)*

Toutou: Non, madame!

La Bûcheronne: Pardon?

Toutou: Je dis: non, madame!

La Bûcheronne: Pourquoi donc vous dites ça?

Toutou: Parce que vous mentez!

La Bûcheronne (se levant): Comment! Vous me traitez de menteuse!

Toutou: Oui, madame.

La Bûcheronne: Mais vous n'avez pas le droit! Je dis la vérité!

Le Génie (apparaissant-disparaissant): Ding! ding!

Toutou: Ecoutez, chère madame: vous perdez votre temps, et vous me faites perdre le mien par-dessus le marché. Vos enfants ont peut-être disparu, ça, d'accord, mais pas de la manière que vous dites. Ils ne se sont pas enfuis. Alors rasseyez-vous et dites-moi une bonne fois ce qui est arrivé.

La Bûcheronne (se rasseyant): Bon, ben comme vous voudrez... La semaine dernière, mon mari et moi, nous les avons emmenés en forêt, tous les sept avec nous, pour faire du bois...

Toutou: Oui...

La Bûcheronne: Et puis le soir, à la brune, en rentrant, ils se sont égarés...

Le Génie (même jeu): Ding! ding!

Toutou: Non, madame.

La Bûcheronne: Quoi, encore?

Toutou: Non, madame, vous mentez, de nouveau.

La Bûcheronne (se levant d'un bond): Mais pas du tout, monsieur l'Inspecteur! Je peux vous le jurer sur la Sainte Vierge, sur la tête de mon mari! Les petiots nous ont suivis d'abord, et puis, je ne sais comment, ils ont tardé, traîné, ils sont partis à droite, à gauche, et ils nous ont perdus de vue...

Le Génie (pendant qu'elle parle): Ding ding ding ding ding ding ding...!

Toutou (se bouchant les oreilles): Assez!

La Bûcheronne: Je vous jure! C'est la vérité vraie!

Le Génie: Ding! ding!

Toutou: Ecoutez, chère madame: ce n'est pas la peine d'insister. Si vous n'avez rien d'autre à me dire que des mensonges, inutile de rester ici, rentrez chez vous tout de suite!

La Bûcheronne (butée): C'est bon. Comme vous voudrez. *(Elle se rassoit. Un temps)* Nous les avons perdus.

Toutou: Vous voulez dire: perdus volontairement?

La Bûcheronne: Ben oui, quoi, exprès!... On les a emmenés loin, très loin dans la forêt, on leur a dit de faire des fagots... et, pendant qu'ils étaient occupés, mon mari et moi, nous sommes partis...

Toutou: Pourquoi donc avez-vous fait ça?

La Bûcheronne: On n'avait plus de quoi les nourrir.

Toutou: Mais c'est affreux, madame, ce que vous me dites! Je suis horrifié!

La Bûcheronne: La faute à qui? Vous vouliez savoir, non? Eh bien, vous savez, maintenant!

Toutou: Vous le regrettez, au moins, j'espère?

La Bûcheronne: Oh, pour ça oui, nous le regrettons!

Toutou: Vous avez pitié d'eux?

La Bûcheronne: Oh oui, nous avons pitié!

Le Génie: Ding! ding!
Toutou: Non, madame. Une fois de plus...
La Bûcheronne (éberluée): Ben en voilà une autre!
Toutou: Vous recherchez vos enfants, vous les regrettez, ça oui, mais ce n'est pas pour cette raison. Et moi, je veux savoir pourquoi!
La Bûcheronne (brutale): Ah! vous voulez savoir! Eh ben, nous avons besoin d'eux! Pour le travail! Voilà!
Toutou: Et comment les nourrirez-vous?
La Bûcheronne: Pour ça, y'a plus de problème, on a reçu de l'argent. Et les gosses, maintenant, ils nous manquent, parce qu'il y a du boulot!
Toutou: En somme, vous voulez les exploiter...
La Bûcheronne (haussant les épaules): Appelez ça comme vous voudrez!
Toutou: Et comment l'appeler autrement? Vous les abandonnez quand ils vous gênent, et vous cherchez à les récupérer sitôt qu'ils peuvent vous rapporter!
La Bûcheronne: Enfin, voilà, je vous ai tout dit... Vous pouvez-t-y me les retrouver?
Toutou (se levant, la baguette à la main): Non, madame.
La Bûcheronne: Comment, non?
Toutou: Non!
La Bûcheronne: Mais enfin, je suis leur mère! Et leur père, eh bien... c'est leur père!
Toutou: Non, madame, vous n'êtes plus leurs parents. Votre mari et vous, vous êtes un père et une mère indignes! Je souhaite, vous entendez, je souhaite que vos enfants se débrouillent sans vous, et que vous ne les retrouviez jamais!
La Bûcheronne (se levant, furieuse): Ah! c'est comme ça! Eh bien je m'en fous! Vous entendez? Je m'en fous!
Toutou: Tant mieux!
La Bûcheronne: Mon mari m'en fera d'autres!
Toutou: A la bonne heure!
La Bûcheronne: Et quant à vous, vous êtes un drôle de coco!
Toutou: Mais oui, mais oui!

La Bûcheronne: Vous devriez avoir honte!
Toutou: C'est ça!
La Bûcheronne: Enlever des enfants à leur mère!
Toutou: Qu'est-ce qu'il ne faut pas entendre! *(il lui tourne le dos)*

La Bûcheronne: Ça ne vous portera pas bonheur! Vous entendez ben? Ça ne vous portera pas bonheur!
Toutou (un geste de la baguette magique par-dessus son épaule): Que le diable vous emporte!
Le Diable (surgissant): Voilà, voilà! Tout de suite! Merci! *(il sort en entraînant la Bûcheronne)*

La Bûcheronne (en sortant): Hélà, hélà! Mais où c'est-y que je vas?...

Toutou: Hein? Pardon? *(il se retourne)* Eh bien, où est-elle passée? Ça, c'est un peu fort! Miroir, petit miroir au mur...

Le Génie (apparaissant): Oui, mon maître?

Toutou: Où est passée la Bûcheronne?

Le Génie: Elle vient d'être emportée par le Diable!

Toutou: Par le Diable? Pourquoi ça?

Le Génie: Parce que tu l'as souhaité, la baguette à la main.

Toutou: Mais non! C'est une erreur! Je n'ai pas voulu ça! Miroir, petit miroir, j'ai encore fait une bêtise?

Le Génie: On le dirait...

Toutou: Qu'est-ce que je peux faire pour la rattraper?

Le Génie: Tu peux souhaiter que le Diable la rapporte ici...

Toutou: Ah non, alors! Qu'il la garde, plutôt!

Le Génie: ... ou bien qu'il la remmène chez son mari...

Toutou: Ah ça, c'est une idée! *(levant la baguette)* – Je souhaite que la Bûcheronne revienne chez son mari!

Voix du Diable (en coulisse): Zut! Crotte! Flûte!

Toutou (après un temps): Miroir, petit miroir au mur...

Le Génie: Oui, mon maître?

Toutou: C'est fait?

Le Génie: Oui, c'est fait. Le Diable l'a ramenée chez elle. Mais il a dit beaucoup de gros mots. Il n'était pas content!

Toutou: Ça m'est égal. Merci pour tes «ding ding»!

Le Génie: Pas de quoi, mon maître!

Toutou: Continue de sonner comme ça chaque fois que tu entends un mensonge. D'accord?

Le Génie: D'accord. *(il disparaît)*

Toutou: Voyons, voyons... Y a-t-il encore du monde?... *(à la porte)* – Entrez, monsieur, entrez!

Scène VIII
Le Génie, Le Musicien, Toutou, Le Voleur et la Voix du Diable

(Musique. Entre le Capitaine des voleurs, en costume oriental)

Le Voleur: Bonjour, monsieur, bonjour. C'est bien toi l'Inspecteur Toutou?

Toutou: C'est moi, monsieur, entrez. Asseyez-vous, je vous prie.

Le Voleur: Je viens porter plainte. *(Il s'assied)*

Toutou (à son bureau, écrivant): Oui. Contre qui?

Le Voleur: Contre monsieur Ali Baba.

Toutou: Qu'est-ce qu'il a fait, ce monsieur Ali Baba?

Le Voleur: Il m'a volé, d'abord!

Toutou: Ah, ça, ce n'est pas bien...

Le Voleur: Non, ce n'est pas bien du tout! Et il a tué, aussi!

Toutou: Il vous a tué?

Le Voleur: Non, pas moi. Des copains.

Toutou: Dois-je comprendre qu'il a tué des amis à vous?

Le Voleur: Oui. Trente-sept.

Toutou (sursautant): Trente-sept? Mais c'est un monstre, un sadique, un criminel de guerre! Comment donc a-t-il fait?

Le Voleur: Oh, il n'a pas fait ça lui-même, il n'est pas assez malin... C'est sa bonne. Elle les a frits avec de l'huile bouillante!

Toutou: Mais c'est épouvantable! Ces gens-là sont des dangers publics! Voyons: dites-moi tout, depuis le commencement.

Le Voleur: Eh bien, voilà, monsieur Toutou. Mes copains et moi, on avait fait des économies...

Le Génie (apparaissant): Ding! ding!

Toutou: Ah! non! Je regrette...

Le Voleur: Qu'est-ce que tu regrettes?

Toutou: Ce n'étaient pas des économies.

Le Voleur: Comment que tu le sais?

Toutou: Ben, je le sais...

Le Voleur: Bon, comme tu veux... On avait mis de l'argent de côté, en faisant du commerce...

Le Génie (apparaissant): Ding! ding!

Toutou: Désolé! Ce n'était pas du commerce.

Le Voleur: Ah! si, monsieur, je te le jure! Que le Dieu il me coupe la tête si je mens!

Le Génie: Ding! ding!

Toutou: Heureusement pour vous que Dieu ne vous écoute pas... Vous ne seriez pas voleur, par hasard?

Le Voleur: Ah! non, monsieur l'Inspecteur, tu n'as pas le droit de dire ça! C'est du racisme!

Toutou: C'est bien, continuez. Ensuite?

Le Voleur: Ensuite, Ali Baba, ce sale type... Il nous a volés!

Toutou: Il a eu tort, c'est sûr, mais enfin... Il n'a fait que vous reprendre ce que vous aviez... emprunté à d'autres!

Le Voleur: Peut-être, mais il n'avait pas le droit!

Toutou: Il n'avait pas le droit, c'est un fait. Ensuite?

Le Voleur: Alors, moi, j'ai fait mon enquête, je me suis renseigné... Je te passe des tas d'histoires qui ne t'intéressent pas...

Le Génie (apparaissant): Ding, ding!

Toutou: J'ai l'impression que si, elles m'intéresseraient...

Le Voleur: Qu'est-ce que tu dis?

Toutou: Rien. Continue.

Le Voleur: Et quand j'ai su que c'était lui qui avait fait le coup, je suis allé chez lui, avec tous mes copains, pour lui demander des explications...

Le Génie (même jeu): Ding, ding!

Toutou: Non, je m'excuse encore... Ce n'était pas pour lui demander des explications...

Le Voleur: Bon, si tu veux... C'était pour lui demander, gentiment, de nous rendre l'argent...

Le Génie (même jeu): Ding, ding !

Toutou: Ce n'était pas pour ça non plus...

Le Voleur: Oh, et puis tu m'embêtes ! Oui, c'était pour le tuer !

Toutou: Mais vous n'aviez pas le droit de le tuer !

Le Voleur: Ah si ! Il nous avait volés !

Toutou: Mais les gens que vous aviez volés, vous, ils avaient le droit de vous tuer, eux aussi ?

Le Voleur: Ah non ! Ils n'avaient pas le droit !

Toutou: Je ne comprends pas...

Le Voleur: Ecoute, c'est pourtant simple. Moi, je suis voleur, c'est vrai. Alors, si je vole, moi, c'est normal. Mais si un autre me vole, alors moi, je le tue !

Toutou: En somme, si je comprends bien, seuls les voleurs ont le droit de voler... Les honnêtes gens, eux, n'en ont pas le droit !

Le Voleur: Evidemment, puisque ce sont des honnêtes gens !

Toutou: Logique. Rien à dire. Ensuite ?

Le Voleur: Ensuite, la servante, cette chienne, elle a compris, je ne sais pas comment, que nous venions pour tuer son maître, et elle a tué tous mes amis !

Toutou: Mais, dans ce cas... elle avait raison !

Le Voleur: Ah non ! Elle avait tort !

Toutou: Pourquoi ? Puisque vous vouliez tuer son maître ?

Le Voleur: Mais on ne l'avait pas encore tué !

Toutou: Ah ! je comprends ! Elle aurait dû le laisser tuer d'abord, et après seulement, le venger !

Le Voleur: Ah non, pas le venger ! Porter plainte !

Toutou: Et vous, pendant ce temps-là, vous seriez partis !

Le Voleur: Voilà !

Toutou: Bon. Eh bien, cher monsieur, je ne peux rien pour vous.

Le Voleur: Comment, tu ne peux rien pour moi? Mais tu es de la police! Alors, tu dois m'aider!

Toutou: Non.

Le Voleur: C'est ton devoir!

Toutou: Oh! non!

Le Voleur: C'est ton métier!

Toutou: Eh! non!

Le Voleur: Alors, comme ça, tu protèges les criminels!

Toutou: A mon avis, le criminel, c'est d'abord vous!

Le Voleur: Eh bien, nous allons voir! Pour commencer, Ali Baba, je vais le tuer de ma propre main!

Toutou: Non.

Le Voleur: Je ne le tuerai pas?

Toutou: Non.

Le Voleur: Tu vas m'en empêcher, peut-être?

Toutou: Oui!

Le Voleur: Et comment?

Toutou: Comme ceci: *(il lève la baguette)* – Je souhaite que ce voleur ne trouve jamais Ali Baba! – Et maintenant, va au diable!

Voix du Diable (en coulisse): Merci!

Toutou (se reprenant): Ou plutôt non, ne va pas au diable...

Voix du Diable: Zut!

Toutou: Ne trouve jamais Ali Baba et va te faire voir ailleurs. Allez, fous-moi le camp!

Le Voleur (s'en allant, furieux): Ça va, ça va, je m'en vais... Mais tu auras de mes nouvelles! *(il sort)*

Scène IX

Le Génie, Le Musicien, Toutou

Toutou: Eh bien, à la bonne heure! Au moins, cette fois-ci, je m'en suis bien tiré. Miroir, petit miroir au mur...

Le Génie (apparaissant): Mon maître?

Toutou: D'abord je te remercie, car tu m'as bien aidé. Continue de faire «ding ding» chaque fois que tu entendras un mensonge. Tu n'imagines pas comme ça peut m'être utile. Tu me le promets?

Le Génie: Promis.

Toutou: Maintenant, dis-moi un peu: je suis toujours un beau toutou?

Le Génie: Oui, mon maître.

Toutou: Je suis toujours un bon toutou?

Le Génie: Oui, mon maître.

Toutou: Mais je ne suis plus un toutou bête?

Le Génie: Si, mon maître.

Toutou: Pas possible! Tu es sûr?

Le Génie: Oui, mon maître.

Toutou: Moi qui me croyais devenu intelligent... Miroir, petit miroir au mur...

Le Génie: Oui, mon maître?

Toutou: Le Loup n'a pas trouvé le Petit Chaperon rouge?

Le Génie: Non.

Toutou: La méchante Reine n'a pas trouvé Blanche-Neige?
Le Génie: Non.
Toutou: La Bûcheronne n'a pas retrouvé ses enfants?
Le Génie: Non plus.
Toutou: Et le Voleur ne retrouvera pas Ali Baba?
Le Génie: Pas davantage.
Toutou: Dans ce cas, je n'ai pas fait de bêtises?
Le Génie: Tu n'as fait que des bêtises, au contraire!
Toutou: Mais non, ce n'est pas juste! Comment peux-tu dire ça? Miroir, petit miroir au... *(le téléphone sonne)* – Zut! (il décroche) – Allô?
Le Musicien (se bouchant le nez): Allô? C'est l'Inspecteur Toutou?
Toutou: Lui-même.
Le Musicien: Ici la Fée Rutabaga.
Toutou: C'est vous? Quelle chance! Votre baguette est retrouvée!
Le Musicien: Ah! Enfin! Où est-elle?
Toutou: Ici même. Je la tiens à la main.
Le Musicien: Vous la tenez à la main?
Toutou: Mais oui!
Le Musicien: En ce cas, pouvez-vous me rendre un petit service?
Toutou: Certainement. Lequel?
Le Musicien: Ordonnez-moi de venir chez vous.
Toutou: Moi, que je vous ordonne?...
Le Musicien: De venir chez vous, dans votre bureau.
Toutou: Mais je n'oserai jamais!
Le Musicien: Osez! Osez!
Toutou: Voyons, madame la fée, je n'ai pas d'ordres à vous donner. Ce serait plutôt à moi de vous obéir...
Le Musicien: Mon Dieu, que vous êtes bête! Eh bien, obéissez! Je vous ordonne de m'ordonner de venir! C'est clair?
Toutou: C'est bon, c'est bon, puisque vous me l'ordonnez... Madame la Fée Rutabaga, je vous ordonne de venir ici tout de suite!

Scène X

Le Miroir, Le Musicien, Toutou, La Fée Rutabaga

(Musique. La Fée apparaît)

La Fée: Ah ! tout de même ! Merci ! Vous comprenez, maintenant, j'espère ?

Toutou: Ah ! oui !

La Fée: C'était un peu plus facile que de prendre l'autobus, non ?

Toutou: Bien sûr !

La Fée: Bon. Maintenant, rendez-moi ma baguette, s'il vous plaît.

Toutou (il la lui donne): Voici.

La Fée: Je ne suis pas tranquille quand je la sais dans d'autres mains que les miennes... *(elle examine la baguette)* Ça va. Elle est en bon état. Ni tordue, ni fendue, ni cassée... Vous ne vous en êtes pas servi ?

Toutou: Non, non !

Le Génie (apparaîssant): Ding, ding !

La Fée: Tiens ! On sonne !

Toutou: Mais non ! mais non !

Le Génie (apparaîssant): Ding ! ding !

La Fée: Encore ! Ce n'est pas la porte d'entrée, au moins ?

Toutou: Non ! non !

La Fée: Ni le téléphone ?

Toutou: Non plus !

La Fée: Dans ce cas, c'est sans importance. Voyons, qu'est-ce que je disais?... Ah oui! Ma baguette! Au moins, vous n'avez pas fait de bêtises avec, j'espère?

Toutou: Moi? Oh, non!

Le Génie (apparaîssant): Ding! ding!

La Fée: Vous entendez? On sonne de nouveau...

Toutou: Non, je n'entends rien...

Le Génie (apparaîssant): Ding! ding!

La Fée: Mais enfin je ne rêve pas! Ça vient de par ici... Tiens! Vous avez le Miroir magique?

Toutou: Euh... oui! Comment le savez-vous?

La Fée: C'est que je suis fée, mon cher... Les objets magiques, c'est mon métier... Miroir, petit miroir au mur...

Le Génie (apparaîssant): Oui, maîtresse?

La Fée: Pourquoi est-ce que tu sonnes comme ça?

Le Génie: Pour obéir à l'Inspecteur Toutou. Je dois faire «ding ding» chaque fois que j'entends un mensonge.

Toutou: Mais non! Ce n'est pas vrai!

Le Génie: Ding! ding!

La Fée: Tiens, tiens... Comme c'est curieux! Et qui donc a menti, tout à l'heure?

Le Génie: C'est l'Inspecteur Toutou.

La Fée: Et de quelle manière?

Le Génie: D'abord, en te disant qu'il ne s'est pas servi de la baguette.

La Fée: Aha! Ensuite?

Le Génie: Ensuite, en te disant qu'il n'a pas fait de bêtises.

La Fée: Oho! Il en a fait beaucoup, de bêtises?

Le Génie: Il ne fait que ça depuis qu'il est ici!

Toutou: Miroir, petit miroir au mur, je t'ordonne de te taire!

La Fée (la baguette en avant): Inspecteur Toutou, vous n'avez plus la parole!

Toutou (aboyant): Ouah! ouah!

La Fée (même jeu): Silence! *(Toutou se tait)* – Miroir, petit miroir au mur, raconte-moi les bêtises de l'Inspecteur Toutou!

Le Génie: Seulement celles qu'il a faites avec la baguette, ou celles sans la baguette aussi?

La Fée: Toutes ! Raconte-les toutes !

Le Génie: Eh bien, d'abord, il a marié le Prince Charmant avec la Mère-grand du Petit Chaperon rouge.

La Fée: Quelle horreur ! Et après ?

Le Génie: Il empêche le Loup de trouver le Petit Chaperon rouge.

La Fée: C'est une faute, en effet. Le Loup doit la manger. Après ?

Le Génie: Il empêche la Reine d'empoisonner Blanche-Neige.

La Fée: Vous avez fait ça, monsieur Toutou ? Mais c'est une grande erreur ! De quoi vous mêlez-vous ?

Toutou (aboyant): Ouah ! ouah !

La Fée: Il faut absolument que Blanche-Neige soit empoisonnée, pour qu'un prince la réveille ensuite et qu'elle devienne reine ! Sans cela, elle va rester chez les nains toute sa vie, à laver le linge sale et à faire la vaisselle ! *(au miroir)* – Peux-tu me montrer le Loup, petit miroir au mur ?

Le Génie: Voilà, voilà ! *(la tête du Loup apparaît dans le miroir, coiffé de la toque rouge que portait la Reine)*

La Fée: Mais... Mais qu'est-ce que tu me racontes, petit miroir au mur ? Il a mangé le Petit Chaperon rouge, puisqu'il a le béret rouge sur la tête !

Le Génie: Non, maîtresse, tu te trompes. Ce béret, c'est celui de la Reine de Blanche-Neige !

La Fée: Tu veux dire que le Loup a mangé la Reine ?

Le Génie: Oui.

La Fée: Et la pomme, alors ? La pomme empoisonnée ?

Le Génie: Elle est tombée par terre. Le Loup n'aime pas les pommes.

La Fée: Alors, elle y est toujours ?

Le Génie: Ah non ! Elle a été mangée par d'autres...

La Fée: Malédiction ! Par qui ?

Le Génie: Eh bien, d'abord un petit peu par la Bûcheronne, qui en est morte...

La Fée: Malheur !

Le Génie: Ensuite, encore un peu par les sept nains, qui en sont morts...

La Fée: Catastrophe!

Le Génie: Ensuite, presque tout le reste par le Petit Poucet et ses six frères, qui en sont morts...

La Fée: Crotte de bique!

Le Génie: Et le trognon, pour finir, par les oiseaux des bois, qui en sont tous morts!

La Fée: Mais c'est un vrai massacre! Vous entendez ça, Inspecteur Toutou?

Toutou (aboyant): Ouah! ouah!

La Fée: Cessez de faire la bête! Parlez!

Toutou: Mais ce n'est pas ma faute! Moi, j'ai cru bien faire! Et puis je n'ai pas fait que ça! J'ai fait des choses très bien! Demandez au miroir!

La Fée (au miroir): Il a fait autre chose encore?

Le Génie: Oui, maîtresse.

La Fée: Des bêtises, je parie?

Le Génie: Oui, maîtresse.

Toutou: Mais non! mais non!

Le Génie: Ding! ding!

La Fée: Monsieur Toutou, vous n'avez plus la parole!

Toutou (aboyant): Ouah! ouah!

La Fée: Silence! *(au miroir)* – Quelles bêtises, encore?

Le Génie: Il a empêché la Bûcheronne de retrouver ses enfants, de sorte que le bûcheron est aujourd'hui dans la misère.

La Fée: Et puis?

Le Génie: Il a empêché le Capitaine des voleurs de retrouver Ali Baba.

La Fée: Mais c'est de la folie! Le Capitaine doit absolument retrouver Ali Baba! C'est comme ça, et pas autrement, qu'il se fera tuer par la servante! Où est-il, en ce moment, le Capitaine des voleurs?

Le Génie: Dans le château de la Belle au bois dormant.

La Fée: Hein? Il l'a réveillée?

Le Génie: Oui.

La Fée: Il l'a épousée?

Le Génie: Oui.

La Fée: C'est tout?

Le Génie: Oh, non! Car il a également épousé Blanche-Neige...

La Fée: Non!

Le Génie: ... Cendrillon...

La Fée: Pas possible!

Le Génie: ... Boucle d'or...

La Fée: C'est pas vrai!

Le Génie: ...et, finalement, le Petit Chaperon rouge!

La Fée: Tout ça? Mais il est fou! Il n'a pas le droit, d'abord!

Le Génie: Si, si. Sa religion le lui permet.

La Fée: C'est fini, cette fois-ci, j'espère?

Le Génie: Pour l'instant, c'est fini.

La Fée: Alors, monsieur Toutou? Vous voyez ce que vous avez fait?

Toutou: Ouah! ouah!

La Fée: Vous avez fait un tel gâchis que je me demande moi-même comment le réparer!

Toutou: Ouah! ouah!

La Fée: Silence! – Miroir, petit miroir au mur...

Le Génie: Oui, maîtresse.

La Fée: Que faut-il faire, à ton avis, pour réparer toutes les sottises de monsieur Toutou?

Le Génie: A mon avis, maîtresse, il faut tout annuler en bloc. Tout ce qu'il a fait depuis le début de la journée. Sers-toi de ta baguette magique!

La Fée: C'est ce que je vais faire. Merci. – Vous êtes d'accord, monsieur Toutou?

Toutou: Ouah! ouah!

La Fée: Nous sommes donc d'accord. Attention! Du silence! Du silence! Je commence! *(elle se met à chanter, sur le ton d'une comptine)*

Baguette, ma baguette,
Ecoute bien ces mots:
Je veux que tu remettes
Les choses comme il faut!

Fais que toutes ces bêtises
N'aient jamais été commises!
Fais que l'Inspecteur Toutou
N'inspecte plus rien du tout!

Toutou (protestant): Ouah! ouah!

La Fée: Du silence, j'ai dit, du silence! *(elle reprend sa chanson)*

Fais que nous soyons ici
Sur une scène de comédie,
Que ce mur soit le public,
Que ce public soit très chic,
Qu'il s'amuse beaucoup beaucoup,
Qu'il rigole comme un petit fou,
Qu'il applaudisse à la fin
Et s'en aille content tout plein!
Merci, chers petits enfants,
Rentrez bien chez vos parents!

(Salut final)

Crac ! dans le sac !

Pièce pour marionnettes
(1958)

Personnages

Le soldat

Le mendiant saint Pierre
(marionnette à double profil)

Le patron de l'auberge

Le gendarme

Le diable

Le valet

La Princesse Tutu

Le Roi

Le Prince Panpan

L'armée du Prince Panpan
(une marionnette de soldat)

Cette pièce est inspirée du conte des frères Grimm intitulé « Bruder Lustig ».
Elle est écrite pour marionnettes à gaines.
Elle a été créée, en 1974, par les élèves de l'Atelier de marionnettes du lycée Henri IV à Paris, atelier dirigé par Sylvine Bouvet-Delannoy. Mise en scène de Véra Brody.

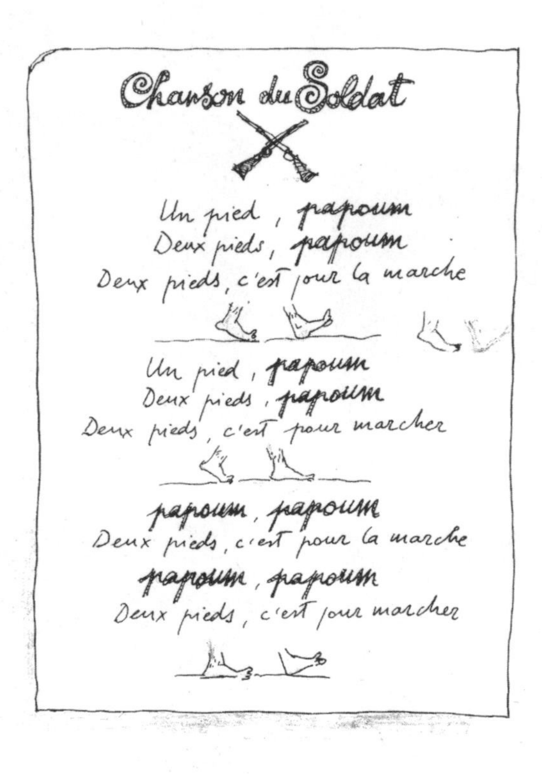

Cette scie, indéfiniment répétée, sert de leitmotiv à la pièce et annonce, en particulier, presque toutes les entrées du Soldat.

Scène I
La route

Le Soldat entre en chantant. Le Mendiant se dresse devant lui.

Le Mendiant : Pitié, mon bon monsieur, donnez-moi un peu d'argent, s'il vous plaît !

Le Soldat : Ah, tu tombes mal, mon pauvre ami, je n'ai que trois sous sur moi, et il faut que je dîne et que je couche, ce soir !

Le Mendiant : Pitié, mon bon monsieur, je n'ai plus de papa, plus de maman…

Le Soldat : Ben, moi non plus…

Le Mendiant : Pitié, mon bon monsieur, seulement un petit sou…

Le Soldat : Bon, eh bien, tiens ! *(Il lui tape dans la main.)*

Le Mendiant : Ah, merci, mon bon monsieur, merci beaucoup, Pchtt ! *(Il disparaît.)*

Le Soldat : Ah ben, ça, par exemple ! Où est-il passé ? Il était encore là il y a une seconde. Qu'est-ce qu'il court vite, le vieux ! *(Il reprend sa chanson, sort, puis rentre par le côté opposé, chantant toujours.)*

Le Mendiant (surgissant) : Pitié, mon bon monsieur, donnez-moi un peu d'argent, s'il vous plaît !

Le Soldat : Ah, tu tombes mal, mon ami, je n'ai plus que deux sous sur moi, et il faut que je dîne et que je couche, ce soir !

Le Mendiant : Pitié, mon bon monsieur, je n'ai plus de papa, plus de maman...

Le Soldat : Ben, moi non plus...

Le Mendiant : Pitié, mon bon monsieur, je n'ai plus d'enfants...

Le Soldat : Tu avais des enfants ?

Le Mendiant : Même pas, mon bon monsieur, j'en ai même jamais eu...

Le Soldat : Eh bien, alors ?

Le Mendiant : Pitié, mon bon monsieur, seulement un petit sou...

Le Soldat : Bon, eh bien, tiens ! *(Il lui tape dans la main.)*

Le Mendiant : Ah, merci, mon bon monsieur, merci beaucoup. Pchtt ! *(Il disparaît.)*

Le Soldat : Encore ? Ah ça, alors... Ils courent vite, les vieux, dans ce pays ! Au fait, c'était peut-être le même... Bah ! *(Même jeu : il reprend sa chanson, sort, puis rentre.)*

Le Mendiant (surgissant) : Pitié, mon bon monsieur...

Le Soldat : Encore toi ? Ah, cette fois-ci, mon pauvre ami, tu tombes vraiment mal ! je n'ai plus qu'un petit sou sur moi pour manger et coucher ce soir !

Le Mendiant : Pitié, mon bon monsieur, je n'ai plus de papa, plus de maman...

Le Soldat : Ben, moi non plus...

Le Mendiant : Je n'ai plus d'enfants...

Le Soldat : Moi non plus !

Le Mendiant : J'en ai même jamais eu...

Le Soldat : Moi non plus !

Le Mendiant : Pitié, mon bon monsieur, seulement un petit sou...

Le Soldat : Moi non plus !

Le Mendiant (sanglotant) : Coin, coin, j'suis malheureux, coin, coin, j'ai plus d'papa, plus d'maman, coin, coin, j'ai plus d'enfants, j'en ai même jamais eu, coin, coin, j'veux un p'tit sou, coin, coin, coin, coin... !

Le Soldat : Ma foi, tant pis, je vais le lui donner. Comme ça, au moins, il me fichera la paix. Tiens, voilà ! *(Il lui tape dans la main.)*

Le Mendiant : Coin, coin... ! Ah, merci, mon bon monsieur, merci beaucoup. Pchtt ! *(Cette fois, il ne disparaît pas, mais se retourne, présentant son autre profil : c'est saint Pierre.)*

Le Soldat (se retournant) : Quoi encore ? Oh zut, flûte, crotte de bique !

Saint Pierre : Ne jure pas, mon fils je suis saint Pierre.

Le Soldat : A vos rangs, fixe !

Saint Pierre : Repos, mon fils, repos. Tout cela, ce n'était qu'une épreuve...

Le Soldat : Alors, vous allez me rendre mes trois sous ?

Saint Pierre : Attends un peu, mon fils. Puisque tu m'as donné jusqu'à ton dernier sou, je veux te récompenser de ta générosité. Qu'est-ce que tu veux ?

Le Soldat : Ce que je veux ?

Saint Pierre : Oui. Qu'est-ce que tu veux ?

Le Soldat : Ben, je ne sais pas, moi... C'est difficile...

Saint Pierre : Je vais t'aider. Veux-tu le Paradis après ta mort ?

Le Soldat : Ah non, ça non... Ça m'avancera bien de savoir que j'irai au Paradis après ma mort ! Non, j'aimerais mieux autre chose...

Saint Pierre : Veux-tu te marier avec une femme douce, obéissante, pieuse et chaste ?

Le Soldat : Ah non ! Surtout pas pieuse et chaste ! Et puis, je n'ai pas envie de me marier. Non, ce que je voudrais, c'est être sûr de manger tous les jours à ma faim.

Saint Pierre : C'est tout ?

Le Soldat : Ben oui, c'est tout...

Saint Pierre : Tu n'es vraiment pas exigeant. Eh bien, je te donne ce sac.

Le Soldat : Ce sac ? Faites voir. Hum ! Il n'est pas bien beau. Et puis j'en ai déjà un. Et puis, ça ne se mange pas, un sac...

Saint Pierre : Non, mais celui-ci, c'est un sac magique !

Le Soldat : Un sac magique ?

Saint Pierre : Oui. Si tu désires quelque chose, tu n'as qu'à dire : «Crac, dans le sac !», et aussitôt, ce que tu désireras sera dans le sac.

Le Soldat: Oh! C'est pas vrai!

Saint Pierre: Essaie!

Le Soldat: Bon, je veux bien. *(Réfléchissant.)* Voyons un peu... Oh! Une idée! Saint Pierre, crac, dans le sac! *(Saint Pierre disparaît, le sac tombe.)* Ça par exemple!

Saint Pierre (voix étouffée): Brute, imbécile, idiot!

Le Soldat: Oh, Monsieur saint Pierre, vous n'êtes pas poli!

Saint Pierre (même jeu): Sors-moi de là, crétin!

Le Soldat: C'est bon, c'est bon. *(Il se baisse, rouvre le sac, Saint Pierre réapparaît.)*

Saint Pierre: Tu te crois malin, bougre d'âne!

Le Soldat: Allons, Monsieur saint Pierre, ne vous fâchez pas... En tout cas, je vous remercie: il est épatant, votre sac!

Saint Pierre: Il n'y a pas de quoi! Pour ce que tu en feras... Tu n'es capable de faire que des bêtises. Pchtt. *(Il disparaît.)*

Le Soldat: Hein? Zut alors! Il est parti sans même me dire au revoir! Ça, ce n'est pas gentil... Enfin, tant pis, du moment que j'ai le sac... *(Il sort en chantant.)*

Rideau

Scène II
L'auberge

Le Soldat (entre en chantant) : Tiens une auberge ! Ça tombe bien. Patron !

Le Patron : Monsieur ? Que voulez-vous ?

Le Soldat : J'ai faim, j'ai soif, j'ai envie de faire pipi, j'ai sommeil.

Le Patron : Entrez, monsieur, j'ai tout ce qu'il vous faut. Asseyez-vous.

Le Soldat : Voyons. Qu'est-ce qu'on mange, chez vous ?

Le Patron : De la dinde, monsieur.

Le Soldat : Ah, c'est bon, ça. Combien, la dinde ?

Le Patron : Mille francs, monsieur.

Le Soldat : Oh, mais, c'est cher...

Le Patron : Oui, monsieur, mais c'est de la vraie dinde...

Le Soldat : Bon. Servez-moi une dinde.

Le Patron : Et qu'est-ce que monsieur boira ?

Le Soldat : Un bon verre d'eau de la pompe !

Le Patron : Ah, impossible, monsieur ! Si vous ne buvez pas du vin, je ne peux pas vous servir de la dinde...

Le Soldat : Pourquoi ça ?

Le Patron: Parce que je ne gagne pas assez sur la dinde. Tandis que sur le vin!...

Le Soldat: Ah bon! Qu'est-ce que vous avez comme vin?

Le Patron: Du Sapristi, monsieur.

Le Soldat: Qu'est-ce que c'est que ça, du Sapristi?

Le Patron: C'est un vin italien, monsieur.

Le Soldat: Ah! Et c'est bon?

Le Patron: Oh très bon!

Le Soldat: Et combien ça coûte?

Le Patron: Ça dépend, monsieur. Le Sapristi 1958 coûte mille francs la bouteille...

Le Soldat: Oh, c'est cher...

Le Patron: Oui, monsieur, mais c'est du vrai Sapristi...

Le Soldat: Ah!

Le Patron: Le Sapristi 1957 coûte deux mille francs la bouteille...

Le Soldat: Tiens, pourquoi ça? 1957 c'est plus petit que 1958, ça devrait coûter moins cher...

Le Patron: Ah mais non, monsieur. Avec le vin, c'est le contraire. Plus le numéro est petit, plus c'est cher.

Le Soldat: Tiens! Pourquoi?

Le Patron: Parce que c'est la date, monsieur. Et quand le vin est vieux, il est meilleur.

Le Soldat: Tiens, c'est curieux. Et quel est le meilleur?

Le Patron: Le Sapristi zéro, monsieur.

Le Soldat: Le Sapristi zéro?

Le Patron: Oui, monsieur; c'est celui qu'on a fait l'année de la naissance de Jésus-Christ.

Le Soldat: Oh, il doit être bon, alors!

Le Patron: Oh oui, monsieur!

Le Soldat: Et combien ça coûte?

Le Patron: Eh bien, c'est simple, monsieur: un million neuf cent cinquante-huit mille francs...

Le Soldat: Donnez-moi une bouteille de Sapristi zéro!

Le Soldat: Bien, monsieur. Un peu de patience, je vous sers dans une minute.

Le Soldat: Dites-moi, patron!
Le Patron: Monsieur?
Le Soldat: Qu'est-ce que c'est que ce château, là-bas?
Le Patron: Ça, monsieur, c'est le château hanté.
Le Soldat: Ah! Pourquoi est-il en ruines?
Le Patron: Parce que personne ne l'habite, monsieur.
Le Soldat: Ah! Et pourquoi personne ne l'habite plus?
Le Patron: Parce qu'il est hanté, monsieur.
Le Soldat: C'est-à-dire?
Le Patron: Le diable y vient danser la nuit, monsieur...
Le Soldat: Eh bien, il faut le chasser!
Le Patron: Facile à dire, monsieur, mais jusqu'ici personne n'y est arrivé. Même que le roi avait promis la main de sa fille, la princesse Tutu, à celui qui le chasserait...
Le Soldat: Eh bien?
Le Patron: Eh bien, monsieur, beaucoup y sont partis, car elle est belle, la princesse Tutu, vous savez, monsieur...
Le Soldat: Et alors?
Le Patron: Aucun n'est revenu...
Le Soldat: Diable! Et vraiment, elle est si belle que ça, la princesse Tutu?
Le Patron: Oh, oui, monsieur!
Le Soldat: J'ai envie d'y aller voir...
Le Patron: Ne faites pas ça, monsieur, vous seriez mort! Tenez, voilà la dinde et le Sapristi. *(Il le sert.)*
Le Soldat: Merci. Mais moi, la mort, ça ne me fait pas peur. Je suis soldat!
Le Patron: Soldat? Vous voulez dire: officier?
Le Soldat: Officier? Non, soldat, simple soldat.
Le Patron: Mais alors, dites-moi donc: vous avez de l'argent?
Le Soldat: Non.
Le Patron: Vous n'avez pas d'argent?
Le Soldat: Non.
Le Patron: Comment! Vous n'avez pas d'argent et vous vous payez une bouteille de Sapristi zéro?

Le Soldat : Ben, justement. Que ça coûte un million ou mille francs, qu'est-ce que ça peut me faire, puisque je ne peux pas payer ?

Le Patron : Brute, sauvage, ivrogne ! Sortez d'ici tout de suite !

Le Soldat : Comment ! Mais j'ai faim, moi !

Le Patron : Tant pis, vous n'avez qu'à avoir de l'argent !

Le Soldat : Mais je n'ai pas d'argent !

Le Patron : Tant pis, vous n'avez qu'à ne pas avoir faim !

Le Soldat : Mais justement, j'ai faim !

Le Patron : Tant pis, sortez ou j'appelle la police !

Le Soldat : Bon, bon, ça va, je sors. J'ai une idée : la dinde et le Sapristi, crac, dans le sac ! *(La dinde et la bouteille s'envolent, le soldat sort, poussé par le patron.)*

Le Patron (rentrant) : C'est un peu fort ! Hein ? Quoi ? Où sont la dinde et le Sapristi ? Il me les a volés ! Monsieur le gendarme ! Monsieur le gendarme !

Le Gendarme (entrant, accent corse) : Voilà ! Voilà !

Le Patron : Courez vite, monsieur le gendarme !

Le Gendarme : Où ça ?

Le Patron : Après lui !

Le Gendarme : Après qui ?

Le Patron : Après le soldat !

Le Gendarme : Pourquoi ça ?

Le Patron : Il m'a volé une dinde et une bouteille de Sapristi !

Le Gendarme : Ah, ce n'est pas bien, ça... Vous avez un crayon et un bout de papier ?

Le Patron : Pourquoi faire ?

Le Gendarme : Ben, pour verbaliser.

Le Patron : Il ne s'agit pas de verbaliser, il s'agit de courir !

Le Gendarme : Bon. Moi, je veux bien. Au fait, comment s'appelle-t-il ?

Le Patron : Qui ça ?

Le Gendarme : Ben, le soldat...

Le Patron : Mais je n'en sais rien !

Le Gendarme: Comment, vous n'en savez rien?

Le Patron: Mais non, je n'en sais rien! Attrapez-le d'abord, on s'expliquera après, allez, allez... *(Sort le gendarme.)*

Le Patron (seul): Hélas, ma belle dinde, ma petite dinde jolie, ma petite dinde adorée, quand est-ce que je te reverrai?

Quand je pense que, ce matin encore, elle faisait cocorico! Et toi, mon Sapristi, mon beau Sapristi, mon véritable Sapristi zéro que j'avais fabriqué moi-même, de mes propres mains, avec l'eau de la pompe et de l'encre rouge! Crapule de soldat, va! D'abord, les soldats, c'est fait pour faire la guerre, ça ne devrait pas manger... Alors, vous l'avez rattrapé?

Le Gendarme (entrant): Presque, monsieur.

Le Patron: Comment ça, presque?

Le Gendarme: Eh oui, au moment où j'allais mettre la main dessus, le malandrin a pris le chemin de traverse qui mène au château hanté...

Le Patron: Eh bien, vous l'avez suivi?

Le Gendarme: Presque, monsieur.

Le Patron: Comment ça, presque?

Le Gendarme: Eh oui, je l'ai suivi un bout de chemin. Mais quand j'ai vu qu'il entrait dans le château...

Le Patron: Il est entré dans le château?

Le Gendarme: Eh oui, monsieur.

Le Patron (pleurant): Bou, bou, bouh!...

Le Gendarme: Vous pleurez? Ah, vous avez raison, monsieur. Pauvre garçon! Se faire dévorer par le diable, à son âge, c'est triste, en effet...

Le Gendarme: Mais non, ce n'est pas ça qui est triste! Ce qui est triste, c'est que le diable va manger ma dinde et boire mon Sapristi, hi, hi, hi!

Rideau

Scène III
Le château hanté

Le Soldat (entre en chantant) : Ouf ! Ce gendarme m'a donné chaud ! Je l'aurais bien mis dans le sac, lui aussi, mais qu'est-ce que j'en aurais fait ? Et puis, je ne voulais pas le laisser tout seul avec la dinde et le Sapristi, j'ai préféré courir... Alors, c'est ça, le château hanté ? Pas mal, pas mal... Seulement, il y a longtemps qu'on n'a pas fait le ménage. Et puis il y a des courants d'air. Enfin ! Ce qu'il y a de sûr, au moins, c'est qu'ici, personne ne viendra me chercher. Ils ont trop peur du diable... Les imbéciles ! *(Au public.)* Vous y croyez, vous, au diable ? Moi, je suis bien sûr qu'il n'existe pas... *(Le diable apparaît, puis disparaît derrière son dos.)* Hein ? Qu'est-ce que vous dites ? Ah, vous êtes comme moi, vous n'y croyez pas... *(Même jeu.)* Hein ? Oui, oui, nous sommes d'accord, c'est bien ce que je pensais... Ah ! Ce n'est pas tout ça, maintenant, je vais dîner. La dinde... La bouteille ! *(Il les pose sur le rebord.)* Voyons : par où je vais commencer ? Je vais commencer par la dinde. *(Il mange.)* Mouniam, mouniam, mouniam... Ah que c'est bon ! Encore ! Mouniam, mouniam, mouniam... Ça y est, je n'ai plus faim ! *(Il repose la dinde, que le diable emporte aussitôt, puis il prend la bouteille, mais, au moment où il va commencer à boire...)*

Le Diable (invisible): Mouniam, mouniam, mouniam...

Le Soldat: Tiens! Qu'est-ce qui fait ce bruit-là? Exactement comme moi tout à l'heure! C'est peut-être l'écho... Tiens! Où est passée la dinde? C'est peut-être aussi l'écho qui l'a emportée? Bah! Tant pis, je n'avais plus faim! *(Il boit.)* Foucli, foucli... Ah que c'est bon! Encore! Foucli, foucli, foucli... Ça y est, je n'ai plus soif! *(Il repose la bouteille, que le diable emporte aussitôt.)* Maintenant, dormons! *(Dormant.)* Rron, pschi, rron, pschi, rron pschi...

Le Diable (entre en buvant dans la bouteille): Foucli, foucli, foucli... *(Il s'aperçoit que la bouteille est vide, la jette, regarde le soldat et ricane.)*

Jeu muet: le diable sort, revient avec une plume, dont il chatouille le nez du soldat, puis disparaît.)

Le Soldat (éternuant): Ah... ah... poum! Tchaa! Qu'est-ce qui m'arrive? Je me suis enrhumé? J'ai dû me mettre dans le courant d'air. Changeons de place. *(Il change de place.)* Je ferais peut-être bien de boire un coup. Ah ça, alors... La bouteille a disparu, elle aussi! C'est encore l'écho? Ah, et puis tant pis, je n'avais plus soif! Dormons! *(Dormant.)* Rron, pschi, rron pschi, rron, pschi...

Jeu muet: Le diable rentre avec un verre d'eau, qu'il vide sur la tête du soldat, puis disparaît.

Le Soldat (se réveillant): Glouglou, glouglou! Qu'est-ce qui m'arrive encore? Voilà que je suis inondé, maintenant! J'ai dû me mettre sous la gouttière... Pourtant, il ne pleut pas... Oh, mais tout ça, c'est louche! J'ai une idée: faisons semblant de dormir. *(Il articule très fort:)* RRON, PSCHI, RRON, PSCHI, RRON, PSCHI... *(Le diable rentre avec une trique, le soldat se relève.)* Ah! c'est toi!

Le Diable (deux petits cris de souris): Oui, oui!

Le Soldat: Est-ce que tu vas me faire suer longtemps, comme ça, hein?

Le Diable (même jeu): Oui, oui!

Le Soldat: Tu vas me laisser dormir, oui?

Le Diable (même jeu): Non, non!

Le Soldat : Fais attention à toi, hein ? Une fois, deux fois, tu ne veux pas ?

Le Diable : Non, non !

Le Soldat : Trois fois, tu ne veux pas ?

Le Diable : Non, non !

Le Soldat : C'est bon. Tu l'auras voulu. Allez, le diable, crac, dans le sac ! *(Le diable disparaît. On l'entend pousser des gémissements étouffés.)* Et je te prie de te taire, sans ça tu vas voir tes fesses ! *(Le diable se tait.)* Maintenant, je vais pouvoir dormir tranquille. Et puis, comme ça, demain matin, j'irai au palais du roi, et il me donnera la main de la princesse Tutu. *(Il s'endort.)*

Rideau

Scène IV
L'intérieur du palais

(On entend frapper à la porte. Le valet va ouvrir.)

Le Valet: Monsieur? *(Entre le soldat.)* Eh bien, où allez-vous, monsieur?

Le Soldat: Je vais voir le roi.

Le Valet: Une minute! Vous avez un rendez-vous? Le roi ne reçoit que sur rendez-vous!

Le Soldat: Non, je n'en ai pas, mais il m'attend.

Le Valet: Je ne comprends pas. Expliquez-vous.

Le Soldat: Il m'attend même depuis plusieurs années.

Le Valet: En ce cas, repassez demain!

Le Soldat: Demain? Pourquoi, demain?

Le Valet: Aujourd'hui, le roi ne reçoit pas.

Le Soldat: Ah! Et pourquoi?

Le Valet: Comment, monsieur, vous ne savez pas? Mais aujourd'hui, la princesse Tutu se marie!

Le Soldat: Déjà! Comment le savez-vous?

Le Valet: Mais tout le monde le sait, monsieur...

Le Soldat (siffle): A la bonne heure! Les nouvelles circulent vite, dans ce pays! C'est bon. Je suis le fiancé de la princesse Tutu.

Le Valet: Vous êtes le...
Le Soldat: C'est comme j'ai l'honneur.
Le Valet: Oh, excusez-moi, monsieur, je ne pouvais pas le savoir... vous êtes en avance... Ne bougez pas. Je vais prévenir le roi. *(Il sort.)*
Le Soldat: C'est bien. Attendons. *(Passe la princesse Tutu.)* Oh, la charmante personne!
Tutu (se retournant): Qui êtes-vous, monsieur?
Le Soldat: Moi? Je suis le fiancé de la princesse Tutu.
Tutu: Vous avez du culot!
Le Soldat: Je ne vous le fais pas dire!
Tutu: Vous mentez.
Le Soldat: Moi? Pas du tout!
Tutu: Vous oseriez le répéter?
Le Soldat: Parfaitement. Je suis le fiancé de la princesse Tutu.
Tutu: C'est trop fort.
Le Soldat: C'est comme ça.
Tutu: Eh bien, figurez-vous que c'est moi, la princesse Tutu.
Le Soldat: C'est vous?
Tutu: C'est moi.
Le Soldat: Dans mes bras! *(Il l'embrasse.)* Mouam!
Tutu: Au secours! Au secours! *(Elle s'enfuit.)*
Le Soldat: Eh bien, qu'est-ce qui lui prend? On dirait que ça ne lui fait pas plaisir... Tiens, voilà le roi!
Le Roi (entrant): Monsieur... Qui êtes-vous?
Le Soldat: Je suis le fiancé de la princesse Tutu.
Le Roi: Hum! Vous n'en avez pas l'air... Prouvez-le!
Le Soldat: Tout de suite. Vous voyez ce sac?
Le Roi: Oui.
Le Soldat: Qu'est-ce qu'il y a dedans?
Le Roi: De l'argent!
Le Soldat: Mieux que ça!
Le Roi: Mieux que de l'argent? Des bijoux!
Le Soldat: Mieux que ça!

Le Roi: Mieux que des bijoux? Je ne vois pas...
Le Soldat: Dans ce sac, il y a le diable!
Le Roi: Hein?
Le Soldat: Oui, parfaitement. Le diable du château hanté. Je l'ai fait prisonnier.
Le Roi: Vous?
Le Soldat: Parfaitement. Et maintenant, vous allez me donner la princesse Tutu.
Le Roi: Mais... et si vous mentez?
Le Soldat: Ouvrez le sac, vous verrez bien...
Le Roi: Non, non, je vous crois sur parole!
Le Soldat: Alors, donnez-moi la princesse Tutu.
Le Roi: Oui, mais...
Le Soldat: Si vous ne voulez pas, j'ouvre le sac!
Le Roi: Non, non!
Le Soldat: Alors, donnez-moi la princesse Tutu.
Le Roi: Mon pauvre ami! C'est impossible!
Le Soldat: Comment, c'est impossible? Dois-je comprendre que vous ne tenez pas votre parole?
Le Roi: Si, si, bien sûr... Un roi tient toujours sa parole... quand il ne peut pas faire autrement... Seulement, voilà: la princesse Tutu n'est plus libre!
Le Soldat: Elle n'est plus libre?
Le Roi: Eh non! Elle est fiancée au prince Panpan! Ils doivent se marier aujourd'hui même!
Le Soldat: Comment avez-vous osé...?
Le Roi: Que voulez-vous... Le château était hanté depuis des années... Personne n'avait réussi. Moi, je n'espérais plus... Alors...
Le Soldat: C'est bon, c'est bon. Dans ce cas, vous allez dire au prince Panpan d'aller se faire cuire un œuf.
Le Roi: Mais ce n'est pas possible, voyons! D'abord, il n'aime pas les œufs...
Le Soldat: Tant pis pour lui.
Le Roi: Mais vous ne vous rendez pas compte! Il est capable de me déclarer la guerre!

Le Soldat: S'il vous déclare la guerre, je me charge de la gagner, à moi tout seul, avant la fin du premier jour!

Le Roi: Menteur!

Le Soldat: Comment, menteur! Je sais ce que je dis, moi! Je ne suis pas roi! Si je ne le fais pas, comme je le dis, coupez-moi la tête!

Le Roi: Chiche!

Le Soldat: Chiche! Alors, maintenant, vous me la donnez, la princesse Tutu?

Le Roi: Ah, que c'est ennuyeux! Et si elle ne veut pas de vous?

Le Soldat: C'est simple: faites-la venir...

Le Roi (appelant): Tutu! Tutu!

Tutu: Papa! *(Elle entre.)*

Le Roi: Chère petite! Ecoute, mon enfant: cet homme a fait prisonnier le diable du château hanté; d'un autre côté, tu es fiancée au prince Panpan. Tu es donc promise à tous les deux. Choisis: lequel tu préfères?

Tutu: Oh, papa, le soldat!

Le Roi: Tu... tu es bien sûre?

Tutu: Oh oui, papa, il embrasse si bien!

Le Roi: Chère petite... Hein? Eh bien, ça, par exemple! C'est bon. Je vous la donne. Mais si vous ne gagnez pas la guerre, je vous coupe la tête!

Le Soldat: Entendu.

Le Roi: Autre chose: et le diable, qu'est-ce qu'on en fait?

Le Soldat: Avez-vous une bonne trique?

Le Roi (à Tutu): Va me chercher la trique. La grosse, tu sais, celle qui vient de ton grand-père, qui est pendue dans l'escalier!

Tutu: J'y vais! *(Elle sort.)*

Le Roi (au soldat): Dites-moi... au lieu de la princesse, vous ne préféreriez pas... une maison de campagne?

Le Soldat (criant): Je veux la princesse Tutu!

Le Roi: C'est bon, c'est bon, je disais ça, comme ça...

Tutu (rentrant avec la trique): Voilà la trique, papa!

Le Roi: C'est bien, donne-la moi. Et maintenant, laisse-nous.

Tutu (suppliante): Oh!

Le Roi: Laisse-nous. Tu ne dois pas voir ces choses-là. *(Tutu sort en pleurant)* Chère petite! Elle est tellement sensible!

Le Soldat (au Roi): Passez-moi ça. *(Il prend la trique.)* Et maintenant, allons-y à la manœuvre! Une, deux, trois! *(Il tape à coups redoublés sur le sac, on entend les piaillements du diable.)* Pan pan pan pan pan pan pan! *(Il s'arrête.)* Diable, réponds: es-tu mort?

La voix du Diable (deux petits cris de souris): Non! Non!

Le Soldat: Il n'est pas mort. Je continue. *(Battant.)* Pan pan pan pan pan pan pan! Diable, réponds: es-tu mort?

La voix du Diable (même jeu): Oui ! Oui !

Le Soldat: Il répond... donc il n'est pas mort ! Je continue. *(Battant.)* Pan pan pan pan pan pan pan ! Diable, réponds : es-tu mort ? *(Un temps.)* DIABLE, RÉPONDS : ES-TU MORT ? *(Un temps.)* Il est mort. On va le sortir de là et le jeter dans les cabinets. *(Il ouvre le sac : le diable apparaît en piaillant dans un nuage de fumée, et s'enfuit.)* Oh ! Ah, le menteur ! Il n'était donc pas mort ! Pouah, ce qu'il pue !

Le Roi: Après tout, c'est tant mieux. Je suis bien content que le diable ne soit pas mort. Il faut un diable pour le peuple ! De toute façon, il n'aura plus envie de revenir au château... Eh bien, maintenant, venez. Il est grand temps de vous habiller pour la cérémonie. *(Ils sortent. Un temps. On frappe. Le valet va ouvrir.)*

Le Valet: Monsieur? Eh bien, où allez-vous, monsieur?
Panpan (entrant): Eh bien, je vais voir le roi!
Le Valet: Qui êtes-vous?
Panpan: Je suis le fiancé de la princesse Tutu.
Le Valet: Encore!
Panpan: Comment, encore? Je suis le prince Panpan!
Le Valet: Ne bougez pas, j'ai quelque chose pour vous. *(Il sort, puis rentre avec une longue feuille de papier.)* Le roi m'a chargé de vous donner cette lettre.
Panpan (lisant lentement): « Allez vous faire cuire un œuf. » Quoi? J'ai bien lu: allez vous faire cuire un œuf! Il ose me dire ça, à moi! Il sait pourtant bien que j'ai horreur des œufs! Oh, mais ça ne va pas se passer comme ça! Je vais lui déclarer la guerre! *(Criant.)* JE VOUS DÉCLARE LA GUERRE! *(Au valet.)* Dites à votre maître que je lui déclare la guerre! *(Il sort.)*

Rideau

Scène V

Sur les remparts de la ville

Le Soldat (observant la campagne): Un, deux, trois régiments d'infanterie. Un, deux, trois régiments de cavalerie. L'artillerie là-bas. C'est parfait.

Le Roi (entrant): Alors?

Le Soldat: Alors quoi?

Le Roi: Qu'est-ce que vous attendez?

Le Soldat: Rien ne presse.

Le Roi: Mais l'armée du prince Panpan est en marche! Dans cinq minutes, elle sera sous les murs...

Le Soldat: Je le vois bien!

Le Roi: Et nous, qu'est-ce que nous faisons?

Le Soldat: Nous attendons.

Le Roi: Et nos soldats?

Le Soldat: Je n'ai pas besoin d'eux. Vous pouvez leur dire d'aller se coucher!

Le Roi: Comment! Mais vous aviez promis de vous mettre à la tête de mes troupes...

Le Soldat: Je n'ai rien promis de pareil...

Le Roi: Comment! Mais...

Le Soldat: J'ai promis de gagner la guerre avant la fin de la journée, et je la gagnerai. Maintenant, laissez-moi tranquille!

Le Roi: Mais qu'est-ce qu'il faut faire?

Le Soldat: Il ne faut rien faire. Allez faire joujou avec des cartes d'état-major, si ça vous amuse, et laissez-moi travailler tranquillement!

Le Roi: Mais l'armée du prince Panpan sera là dans une minute!

Le Soldat: Qu'elle y vienne!

Le Roi: Mais quand elle sera là, avec quoi allez-vous gagner la guerre?

Le Soldat: Avec rien! Laissez-moi.

Le Roi: Vous savez ce qui vous attend si...

Le Soldat: Je sais: vous me couperez la tête. Maintenant, bonsoir.

Le Roi: Il est fou *(Il sort.)*

Le Soldat: Vieux cataplasme! Voyons: ils s'approchent... Ça va! Je vais toujours poser le sac. *(Il le pose.)*

Tutu (entrant): Mon petit mari! Mon petit mari!

Le Soldat: Quoi? Qu'est-ce que tu veux?

Tutu: J'ai peur.

Le Soldat: Eh bien, va te coucher.

Tutu: Je ne peux pas, j'ai trop peur!

Le Soldat: Eh bien, reste debout!

Tutu: J'ai trop peur!

Le Soldat: Eh bien, assieds-toi et lis le journal!

Tutu: J'ai trop peur!

Le Soldat: Ecoute: fais ce que tu veux, mais laisse-moi tranquille!

Tutu: Mon petit mari, permets-moi de rester avec toi!

Le Soldat: Non!

Tutu: Si!

Le Soldat: Non!

Tutu: Si tu ne veux pas, je vais crier, je vais pleurer, je vais casser la vaisselle, je vais me rouler par terre, je vais m'évanouir, je vais manger les tapis!

Le Soldat: Oh, la la! Bon. C'est bien. Reste. Mais à une condition!

Tutu: Laquelle?

Le Soldat: De ne dire à personne ce que je vais faire. C'est promis?

Tutu: C'est promis.

Le Soldat: Assieds-toi. Et tais-toi. Je crois que c'est le moment. Attention! Toute l'armée du prince Panpan, crac! dans le sac! *(Le sac se gonfle et devient énorme.)* A présent, tu peux appeler ton père.

Le Roi (entrant): Qu'est-ce qu'il y a? Oh, par exemple! Où est l'armée du prince Panpan?

Le Soldat (montrant le sac): Là!

Le Roi: Comment avez-vous fait?

Le Soldat: C'est mon secret. Maintenant, au travail. Je vais les faire sortir un par un et les passer à la casserole. *(Il ouvre le sac: apparaît la marionnette qui représentera successivement tous les soldats du prince Panpan.)* Comment t'appelles-tu?

La Marionnette: Soldat Machin.

Le Soldat: A la casserole! *(La marionnette disparaît, puis réapparaît.)* Et toi, comment t'appelles-tu?

La Marionnette: Brigadier Truc.

Le Soldat.: A la casserole! *(Même jeu.)* Comment t'appelles-tu?

La Marionnette: Lieutenant Chose.

Le Soldat: A la casserole! *(Même jeu.)* Comment t'appelles-tu?

La Marionnette: Capitaine Trucmuche.

Le Soldat: A la casserole! *(Même jeu.)* Et toi?

La Marionnette: Colonel de la Chose du Machin.

Le Soldat: A la casserole! Oh, et puis j'en ai marre! Je ne vais pas perdre mon temps à les interroger un par un. Allez! Tous à la casserole! *(Il les passe tous à la casserole. Le sac se dégonfle rapidement.)*

Tutu (pleurant): Bou, bou, bou...

Le Soldat: Eh bien quoi? Qu'est-ce qui te prend?

Tutu: C'est triste, de tuer tous ces hommes!

Le Soldat: Ben quoi, c'est la guerre... Je crois que c'est fini.

Plus personne ? Non ? Si ! Il en reste un dans le fond ! *(apparaît le prince Panpan.)* Comment t'appelles-tu ?

Panpan : Prince Panpan !

Le Soldat : C'est toi le prince Panpan ? A la casserole !

Le Roi : Ah non !

Le Soldat : Pourquoi ça, non ?

Le Roi : Mais, malheureux, si vous le tuez, avec qui voulez-vous que je signe le traité de paix ?

Le Soldat : A quoi ça sert, un traité de paix ?

Le Roi : Ça ne sert à rien, mais c'est absolument indispensable !

Le Soldat : Bon, moi, je veux bien. Faites donc votre petite cuisine. En attendant, moi, j'ai gagné la guerre, je reprends mon sac et je vais me coucher. Allez, Tutu, viens avec moi !

Tutu : Oui, mon petit mari ! *(Ils sortent.)*

Le Roi (à Panpan) : A nous deux, maintenant : nous allons faire le traité de paix !

Panpan : Si vous voulez...

Le Roi : Je vais commencer par occuper votre pays.

Panpan : Si vous voulez.

Le Roi : L'armée d'occupation sera nourrie, logée, éclairée, chauffée, blanchie et distraite à vos frais !

Panpan : Ensuite ?

Le Roi : L'occupation durera jusqu'à ce que vous m'ayez versé une indemnité de guerre de cinq cents millions.

Panpan : C'est tout ?

Le Roi : Enfin, pendant dix ans, vous me verserez une rente annuelle de cinq cent mille choux à la crème. Moi, j'aime les choux à la crème !

Panpan : C'est bon. Dans ce cas, vous allez me prêter un milliard !

Le Roi : Quoi, un milliard ? Non mais dites donc, ce n'est pas vous qui avez gagné la guerre !

Panpan : Non. Moi, je l'ai perdue. C'est justement...

Le Roi : Je ne comprends pas.

Panpan : C'est pourtant simple. Vous avez tué tous les

hommes de mon pays. Mon peuple ne peut plus travailler. Alors, si vous voulez que je vous donne de l'argent, il faut que vous commenciez par me le prêter vous-même...

Le Roi: Mais... Quand est-ce que vous me le rendrez?

Panpan: Si vous voulez que je vous le rende, il faudra m'en prêter le double, pour élever les petits garçons de mon pays qui n'ont plus de pères, et, d'ici une vingtaine d'années...

Le Roi: C'est trop fort!

Panpan: Quant aux choux à la crème, si vous en voulez, il faut que vous me fournissiez, d'abord les choux, ensuite la crème, ensuite les pâtissiers!

Le Roi: Et si je ne veux pas?

Panpan: Alors, vous n'aurez rien. Je suis ruiné. Tous les hommes de mon peuple sont morts.

Le Roi: Ah zut, il a raison! Evidemment... c'est comme ça: on veut gagner la guerre, on s'emballe, on s'emballe, on tue tout le monde, et après, il faut payer!

Panpan: Ce n'est pas de ma faute...

Le Roi: Eh non... C'est la faute du soldat! Cet imbécile de soldat! Cette crapule de soldat! Ah celui-là, je voudrais le voir au diable!

Tutu (entrant): Papa!

Le Roi: Quoi?

Tutu: Pardon, papa, je passais par hasard... j'ai entendu votre conversation... sans le vouloir... par le trou de la serrure... Papa!

Le Roi: Eh bien?

Tutu: Moi non plus, je n'aime plus le soldat!

Le Roi: Tiens! Pourquoi ça?

Tutu: Il me dégoûte! Tous les matins, il se lève, tous les soirs il se couche, il mange deux fois par jour... Et puis c'est toujours la même chose...

Le Roi: Quoi donc?

Tutu: Il a une tête, deux bras, deux jambes... Au début, ça pouvait aller, mais au bout de huit jours, je t'assure que ça devient monotone!

Le Roi: Pauvre enfant !

Tutu: Tandis que le prince Panpan... Ça, c'est un homme !

Le Roi: Chère petite ! Enfin, si je comprends bien, nous sommes tous d'accord: il faut nous débarrasser du soldat...

Panpan: Oui... mais comment ?

Tutu: J'ai une idée. Je connais son secret. En ce moment, il dort. Je lui ai pris son sac, nous prononcerons les paroles magiques, et dès qu'il sera dedans, on le laissera tomber du haut de la muraille...

Le Roi: Excellente idée ! Quand il arrivera en bas, il sera mort, et on dira que c'est un accident. Tu as le sac ?

Tutu: Le voilà.

Le Roi: Tenons-le bien tous les trois, au-dessus du vide. Vous le tenez bien, tous les deux ? Vas-y, Tutu !

Tutu: Le soldat, crac, dans le sac ! *(Les trois personnages, entraînés par le sac, disparaissent en criant par-dessus le mur, la tête la première.)*

Rideau

Scène VI

Le ciel

Nuages. Au fond, un écriteau portant les mots PARADIS et ENFER, avec deux flèches opposées. Apparaissent le Roi, Tutu et Panpan.

Tutu: C'est toi, papa?

Le Roi: Euh... oui, c'est moi.

Tutu: C'est vous, Panpan?

Panpan: Euh... oui, je crois.

Tutu: Où sommes-nous?

Le Roi: Je ne sais pas.

Panpan: Je n'en sais rien.

Tutu: Qu'est-ce qui nous est arrivé?

Le Roi: J'ai oublié.

Panpan: Moi aussi.

Tutu: Attendez... Moi, je me rappelle... La dernière fois que nous nous sommes vus...

Le Roi: Oh, il y a longtemps!

Panpan: Très longtemps!

Tutu: Mais non, il n'y a pas si longtemps que ça, voyons, puisque c'était tout à l'heure!

Le Roi: Tu as peut-être raison...

Panpan: Mais qu'est-ce que nous faisions?

Tutu: Nous faisions quelque chose ensemble. Je ne me rappelle pas quoi...

Le Roi: Ni moi.

Panpan: Ni moi.

Tutu: Ça se passait... sur les murs de la ville!

Le Roi: C'est vrai. Je m'en souviens.

Panpan: Moi aussi. Mais qu'est-ce qui se passait, sur les murs de la ville?

Tutu: J'ai eu peur...

Le Roi: Moi aussi.

Panpan: Moi aussi. Mais de quoi?

Tutu: Je ne sais pas...

Le Roi: Moi non plus.

Panpan: Moi non plus.

Tutu: Et puis après, j'ai oublié...

Le Roi: Moi aussi.

Panpan: Moi aussi... *(Un temps.)*

Le Roi: Attendez! J'avais gagné la guerre, et nous faisions le traité de paix!

Panpan: Ah oui, c'est vrai... Oh, comme c'est loin, tout ça! Mais oui, ça me revient! Vous alliez me donner deux milliards!

Le Roi: Deux milliards? C'est possible... En effet, c'est bien loin tout ça!

Tutu: Mais oui, je me rappelle! J'écoutais à la porte. A ce moment-là, je suis entrée pour vous dire que je voulais épouser le prince Panpan!

Le Roi: Mais c'est pourtant vrai! Chère petite!

Panpan: Mais oui! Comment ai-je pu l'oublier! Vous voulez bien, n'est-ce pas?

Le Roi: Bien sûr! Nous allons vous marier tout de suite, voyons, trop heureux!

Tutu: Eh bien, nous sommes tous contents, maintenant, il me semble. Il n'y a rien de plus?

Le Roi: Rien de plus.

Panpan: Rien de plus. Mais où sommes-nous?
(On entend la chanson du soldat.)
Tutu (effrayée): Qu'est-ce que c'est?
Le Roi: Je ne sais pas.
Panpan: Moi non plus.
Tutu: Papa, Panpan, j'ai peur!
Le Roi: Moi aussi!
Panpan: Moi aussi!
Le Soldat (apparaissant): Je voudrais bien connaître l'enfant de salopiot, l'enfant de galapiat, qui m'a joué ce tour-là. Heureusement que j'ai toujours mon sac! Tiens! C'est vous? Comme on se retrouve!
Le Roi: Monsieur...
Tutu: On dirait qu'il nous reconnaît...
Panpan: Monsieur... qui êtes-vous?
Le Soldat: Comment, vous ne me reconnaissez pas? Je suis le soldat!
Le Roi: Enchanté...
Tutu: (Révérence.)
Panpan: Enchanté...

Le Soldat: Ma parole, ils sont tous fous... Est-ce que je rêve, par hasard? Voyons, d'abord, où sommes-nous? Tiens! Un écriteau! Lisons: P, A, PA. R, A, RA,... Parapluies? Ce doit être le vestiaire. Qu'est-ce qu'il y a après ? Oh, et puis zut, c'est trop long. Lisons l'autre mot : E, N, EN. F, E, R, FER. Mais alors ? Nous sommes morts ? Ce n'est donc pas plus difficile que ça, d'être mort ?

Tutu : Qu'est-ce qu'il dit ?

Panpan : Je n'ai pas entendu.

Le Roi : Qu'est-ce que vous dites ?

Le Soldat : Je dis que nous sommes morts !

Tutu (scandalisée) : Oh !

Le Roi : Grossier personnage !

Panpan : Vous exagérez...

Le Soldat : Tenez, lisez vous-mêmes...

Tutu (lisant) : ENFER, PARADIS. *(Pleurant.)* Bou, bou, je ne veux pas être morte !

Le Roi : Pauvre enfant ! *(Au soldat.)* Vous voyez ce que vous avez fait ? Vous ne pouviez pas lui annoncer ça avec plus de ménagements, non ?

Le Soldat : Non, mais dites donc, vous, mêlez-vous de vos affaires ! C'est ma femme, après tout !

Tutu : Comment, moi, sa femme ? Je n'ai jamais vu cet homme-là !

Le Roi : Moi non plus. Et vous, Panpan, vous l'avez vu ?

Panpan : Non.

Le Soldat : Eh bien, vous avez du culot ! Si seulement nous étions encore vivants, je vous flanquerais une bonne tripotée pour vous rafraîchir la mémoire ! C'est curieux : je n'arrive même plus à me mettre en colère !

Le Roi : Bon. Eh bien, mes petits enfants, puisque c'est comme ça, nous allons frapper à la porte du Paradis.

Le Soldat : Je vous suis.

Le Roi : Ah non, pas vous ! Etiez-vous roi, pendant votre vie ?

Le Soldat : Non.

Le Roi : Prince ?

Le Soldat : Pas davantage.

Le Roi : Alliez-vous seulement à la messe ?

Le Soldat: Jamais!

Le Roi: Alors, vous, c'est la porte en face!

Le Soldat: En enfer? Bah, après tout, ici, ailleurs ou bien autre part... *(Il se dirige vers la porte de l'Enfer.)*

Tutu: Attends une minute, papa...

Le Roi: Pourquoi?

Tutu: Je voudrais voir le soldat emporté par le diable...

Le Roi: Chère petite! Si ça peut te faire plaisir...

Le Soldat (frappant): Toc, toc!

La voix du diable (deux petits cris de souris): Oui, oui!

Le Soldat: Il y a de la place pour moi?

La voix du diable (même jeu): Oui, oui! *(Le diable entre, pousse un cri de terreur, et sort.)*

Le Soldat: Tiens! Qu'est-ce qui lui prend? Toc, toc!

La voix du diable (même jeu): Non, non!

Le Soldat: Ah, je comprends! C'est le diable du sac! Quand il m'a vu, il a eu peur! Toc, toc!

La voix du diable (même jeu): Non, non!

Le Soldat: Mais laissez-moi entrer, voyons! Je ne vous ferai pas de mal, si vous ne m'embêtez pas!

Le Diable (même jeu): Non, non!

Le Soldat: Rien à faire. Il faut que j'aille au Paradis!

Le Roi: Pas avec nous, en tout cas. Nous entrerons d'abord. Ensuite, vous vous débrouillerez.

Le Soldat: Si vous voulez.

Le Roi (frappant): Toc, toc!

Saint Pierre: Voilà, voilà! *(Il entre.)* Qui êtes-vous?

Le Roi: Le Roi.

Tutu: Tutu.

Panpan: Panpan.

Saint Pierre: La porte en face!

Le Roi: Quoi?

Saint Pierre: La porte en face!

Le Roi: Pourquoi?

Saint Pierre: Vous ne comprenez pas?

Le Roi: Non.

Saint Pierre: Alors, la porte en face!

Le Roi: Mais enfin, dites-nous pourquoi!

Saint Pierre: Vous avez tué le soldat. *(Il sort.)*

Le Roi: Mais c'est faux! C'est absolument faux! Nous ne l'avons jamais vu! Nous ne le connaissons pas! Toc, toc, toc... Enfin, quoi, ça n'a pas de sens! Vous y comprenez quelque chose, vous?

Panpan: Oui. C'est la vérité. *(Un temps.)*

Tutu: Nous lui avons volé le sac...

Le Roi: Nous l'avons tenu au-dessus du fossé...

Panpan: Nous avons prononcé les paroles magiques...

Tutu: Mais le soldat était si lourd, si lourd...

Le Roi: Qu'il nous a entraînés avec lui...

Panpan: Et nous sommes tous tombés dans le fossé...

Le Soldat: Eh bien, vous êtes de beaux pourris!

Panpan: Mais pourquoi étiez-vous si lourd?

Le Roi: Oui, après tout, c'est de votre faute!

Le Soldat: Pourquoi j'étais si lourd? Ah, ah! Elle est bien bonne!

Tutu: Oui, pourquoi?

Le Soldat: Voyons, Tutu, rappelle-toi bien: qu'est-ce que je faisais, à ce moment-là?

Tutu: Tu dormais, sur le lit, tout habillé. Tu n'avais même pas enlevé tes chaussures, dégoûtant!

Le Soldat: De sorte que, quand je suis arrivé dans le sac, j'étais chaussé...

Panpan: Sans doute. Et alors?

Le Soldat: Comment, vous ne comprenez pas? *(Citant)* «Les godillots sont lourds dans le sac»!

Tutu (écœurée): Oh!

Le Roi: Si vous vous croyez drôle!

Panpan: En effet. Cette plaisanterie est d'un goût douteux!

Le Soldat: De quoi, de quoi? Et de me jeter dans le fossé, vous n'allez pas dire que c'était de bon goût, non? En tout cas, vous avez gagné. Maintenant, je vais entrer au Paradis. Et vous, vous irez en Enfer. C'est bien fait!

Tutu (pleurant): Je ne veux pas aller en Enfer! L'Enfer, c'est plein de diables! Moi, les souris, les araignées et les diables, je ne peux pas voir ça!

Le Roi: Pauvre enfant!

Le Soldat: Bah! On s'y habitue! Et puis zut, après tout, vous l'avez bien voulu! *(Frappant.)* Toc, toc, toc!

Saint Pierre: Voilà, voilà! *(Entrant.)* Qui es-tu?

Le Soldat: Le soldat.

Saint Pierre: C'est toi le soldat? La porte en face!

Le Soldat: Quoi?

Saint Pierre: J'ai dit: la porte en face!

Le Soldat: Mais voyons, Monsieur saint Pierre, vous vous trompez! Moi, je suis la victime!

Saint Pierre: Ah, tu es la victime! Et l'aubergiste que tu as volé?

Le Soldat: Il ne voulait pas me donner à manger!

Saint Pierre: Et toute l'armée du prince Panpan que tu as passée à la casserole?

Le Soldat: C'était la guerre...

Saint Pierre: Je ne veux pas le savoir. La porte en face!

Le Soldat (furieux): Ah, vous ne voulez pas le savoir? Eh bien ça m'est égal! Vous entendez? Ça m'est égal! Je ne veux

pas entrer au Paradis, vous entendez ? Même si vous m'invitiez, même si vous me donniez cinquante mille dindes et cinquante mille bouteilles de Sapristi, je ne voudrais pas entrer !

Saint Pierre : Eh bien, tant mieux !

Le Soldat : Et puis je ne veux plus de vos cadeaux ! Tenez, le sac que vous m'avez donné, vous vous rappelez ? Eh bien reprenez-le, je n'en veux plus !

Saint Pierre : Comme tu veux. *(Il prend le sac et sort.)*

Le Roi, Tutu et Panpan (riant) : Ouah, ouah, ouah !

Le Soldat : Oh, vous, vous pouvez rire ! *(A part.)* J'ai fait une bêtise de lui rendre ce sac. J'aurais dû... *(Illuminé.)* Oh !

Tutu : Quoi ?

Le Soldat : J'ai une idée !

Le Roi : Qu'est-ce qu'il dit ?

Tutu: Il dit qu'il a une idée.
Panpan: Quelle idée?
Le Soldat: Je vais entrer quand même!
Tutu: Oh, dis, fais-nous entrer aussi!
Le Soldat: Vous? Ah non, alors!
Tutu: Mon petit soldat, mon petit mari, si tu savais comme nous t'aimons!
Le Soldat: Ce n'est pas vrai! Vous ne m'aimez pas du tout!
Panpan: Il a raison. Nous ne l'aimons pas du tout.
Le Soldat: Qu'est-ce que vous dites?
Panpan: Je dis que vous avez raison. Je ne vous aime pas du tout.
Le Soldat (après un temps très court): Bon. Eh bien, puisque c'est comme ça, vous allez entrer avec moi!

Le Roi: Je ne comprends pas...

Le Soldat (furieux): Moi non plus ! Et puis, ne me faites pas trop réfléchir, vous avez intérêt !

Tutu: Ne les écoute pas, mon petit mari. Moi, je t'aime !

Le Soldat: Zut ! Si vous me remerciez encore une fois, je vous envoie tous au diable !

Tutu: Ça va, ça va, je ne dirai plus rien...

Le Roi: Moi non plus...

Panpan: Moi non plus...

Le Soldat: Vous avez intérêt ! Approchez-vous. Serrons-nous bien les uns contre les autres. Attention ! Le Roi, Tutu, Panpan et moi, crac, dans le sac !

(Ils disparaissent. Remue-ménage en coulisse. Cris de « au voleur ! Attrapez-les ! » Entre saint Pierre.)

Saint Pierre: Je suis perdu, je suis déshonoré ! Monsieur Dieu, au secours, Monsieur Dieu !

Dieu (invisible): Qu'est-ce qui se passe ?

Saint Pierre: Vous êtes là, Monsieur Dieu ?

Dieu: Je suis là. Et alors ?

Saint Pierre: Monsieur Dieu, le royaume des cieux est forcé...

Dieu: J'ai déjà entendu ça quelque part...

Saint Pierre: Le soldat est entré en fraude...

Dieu: Il est entré ? Eh bien, tant mieux pour lui !

Saint Pierre: Mais il ne le mérite pas !

Dieu: Qu'en sais-tu ?

Saint Pierre: Mais ce n'est pas tout, Monsieur Dieu ! Le Roi, la princesse Tutu et le prince Panpan sont entrés aussi...

Dieu: Ils sont entrés ? Eh bien, tant mieux pour eux !

Saint Pierre: Mais, Monsieur Dieu, ce sont des assassins, ils ont tué le soldat !

Dieu: Et qui les a fait entrer ?

Saint Pierre: Le soldat...

Dieu: Eh bien, qu'est-ce que tu veux de mieux ?

Saint Pierre: Mais, Monsieur Dieu, ce n'est pas juste...

Dieu: Ils sont au Paradis? Qu'ils y restent!

Saint Pierre: Mais, Monsieur Dieu, c'est affreux, ce que vous dites là! A quoi je sers, moi, dans tout ça?

Dieu: A quoi sers-tu?

Saint Pierre: Monsieur Dieu, Monsieur Dieu... Monsieur Dieu...

Rideau final

TABLE
DES MATIÈRES

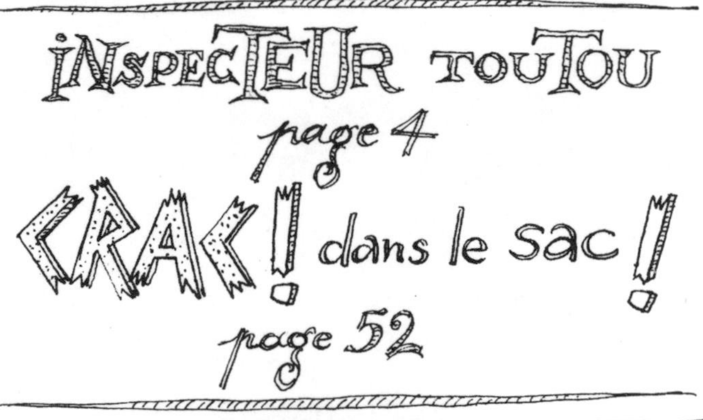
INSPECTEUR TOUTOU
page 4
CRAC! dans le sac!
page 52

Bravo
BRAVO

FiN